LE POUVOIR DES BÉBÉS

Comment votre enfant se connecte à vous

Daniel Rousseau

LE POUVOIR DES BÉBÉS
Comment votre enfant se connecte à vous

Préface de Céline Raphaël

Max Milo
ESSAIS-DOCUMENTS

© Max Milo Éditions
Collection Essais-Documents, Paris, 2013
www.maxmilo.com
ISBN : 978-2-315-00395-2

PRÉFACE
CÉLINE RAPHAËL

Élise, une jeune femme blessée par la vie m'écrivait récemment à quel point le délaissement dont elle avait souffert petite avait fait selon elle voler sa vie en éclats. Le désintérêt de sa mère à son égard, les non-dits, ce refus maternel d'une vraie connexion avec sa fille ont fait d'elle une femme sans image. Un hologramme. Pire, un fantôme errant. C'est en tout cas ainsi qu'elle ressentit les choses, et en matière de souffrance, il faut partir du ressenti, le reconnaître plutôt que de le juger ou le nier au nom de la raison.

Cette jeune enfant blessée n'avait personne pour lui tendre la main. Aucun réseau qu'elle eût pu pirater, aucune source d'énergie détectée à portée de main, ni dans la famille ni chez des amis. Et une dépression profonde commença à ronger son corps, se gavant de solitude et de pitié pour soi-même. Une âme tellement meurtrie qu'elle s'est progressivement endormie pour ne plus souffrir. Comme la Belle au Bois Dormant, attendant le prince charmant qui lui tendrait la main pour la sortir de sa torpeur. Heureusement, l'être humain est souvent résilient, son âme est tenace. Elle peut se mettre en veille mais ne meurt jamais. Il est difficile de détruire complètement les capteurs affectifs d'une personne. Il persiste toujours un petit signal. Et pour Élise, ce petit signal fragile se démène encore aujourd'hui pour détecter un réseau de communication ouvert et ami, sans mot de passe abscons, pour s'y connecter. Elle nous tend la main, à tâtons dans la pénombre. Si elle avait rencontré plus tôt le docteur Rousseau, elle aurait trouvé sa borne WiFi, humaine, bienveillante, humble et sage.

J'ai fait la connaissance du docteur Daniel Rousseau peu après le début de mon internat en médecine. Je m'étais promis de consacrer une partie de ma vie à lutter contre la maltraitance et je sentais que c'était le bon moment. J'avais pris contact avec le docteur Anne Tursz, pédiatre et épidémiologiste à l'INSERM et elle m'a présenté Daniel. Ensemble, nous nous sommes lancés dans ce combat, cette cause qui nous tenait tellement à cœur à tous les trois. Nous avons décidé de nous battre pour faire de la maltraitance infantile en France la préoccupation de chacun, afin d'en voir diminuer les victimes et les conséquences à long terme qu'elle engendre. La maltraitance est un tsunami qui détruit tout sur son passage et fracasse l'avenir des enfants qu'elle frappe.

À l'heure actuelle, en France, si les maltraitances « à l'excès », physique, sexuelle, psychologique, sont assez bien identifiées comme telles, force est de constater que les maltraitances moins criantes, comme la négligence, sont encore très peu prises au sérieux et moins repérées que les autres. Ces négligences apparaissent à chaque fois que l'attachement « normal » entre le parent et son enfant est empêché. Elles peuvent être liées à un conflit conjugal mobilisant l'énergie du couple, qui délaisse ainsi l'enfant. Elles peuvent être liées à une pathologie psychiatrique parentale, souvent une dépression de la mère, qui se trouve alors dans l'incapacité de prendre soin d'elle et donc de son enfant. Les négligences peuvent aussi être une conséquence d'une pathologie chronique, physique ou mentale de l'enfant. Dans ce dernier cas, l'enfant imaginé, rêvé, projeté dans l'imaginaire de ses parents pendant toute la durée de la grossesse apparaît finalement « non-conforme » à cette image idyllique. Le parent fragile risque alors de ne pas réussir l'attachement indispensable pourtant à l'épanouissement de son enfant. Une sorte de déni de parenté qui s'installe plus ou moins insidieusement.

Et il ne faut pas s'y méprendre : tout le monde est concerné. Tout comme les maltraitances physique, psychologique et sexuelle, les négligences ne sont pas l'apanage des familles précaires ou marginales. Elles se cachent partout, derrière les murs des maisons bourgeoises comme derrière ceux des logements les plus modestes, comme je l'ai raconté à travers ma propre histoire dans *La Démesure*[1]. L'impossibilité d'aimer, de s'attacher, de se connecter correctement à son enfant, n'est pas proportionnelle à la solvabilité du compte en banque. Dans tous les cas de figure, les conséquences peuvent en être terribles. On ne répare pas une cicatrice affective profonde avec une montagne de peluches.

Pour pouvoir venir en aide à ces enfants délaissés, se dresse devant nous un obstacle majeur, comme nous le raconte si bien le docteur Rousseau : l'idée selon laquelle la famille serait « naturellement bonne ». Et cette croyance utopique fait des ravages dans les cœurs des enfants. Au nom de cette idée, les services de la protection de l'enfance essaient de retirer l'enfant de sa famille le plus tard possible et seulement en cas de négligences graves et documentées, en tentant en permanence de rétablir la relation entre l'enfant et ses parents dans l'optique d'un retour de l'enfant au domicile parental. Cela avec de bonnes intentions sans doute. Pourtant, trop souvent, le réseau parental est fortement brouillé ou de très mauvaise qualité, et ce, de manière irréversible. L'enfant ne pourra jamais y détecter une connexion sécurisante et s'épanouir au sein de sa famille.

On a longtemps pensé que le petit enfant ne ressentait pas vraiment de douleur consciente. Alors, à l'hôpital, on piquait

---

1. RAPHAËL (Céline), *La Démesure*, Paris, Max Milo, 2013.

sans autre forme de procès, on opérait parfois même sans aucune anesthésie ! Dans ce domaine, les choses ont changé. La douleur chez l'enfant en bas âge, on la comprend, on l'admet et on essaie de la combattre. Tout comme cette douleur qui « n'existait pas », le besoin d'attachement stable et sécurisant d'un bébé n'est pas encore pris au sérieux. On s'imagine que la plasticité des nourrissons est presque infinie. Après tout, si sa mère est défaillante, il lui reste son père, un oncle, une tante, la nounou, un voisin, voire... la télévision. Il finira bien par trouver chaussure à son pied, ce petit d'homme. « La vie est dure pour tout le monde, il faut souffrir... » Là encore, nous faisons erreur. Si la plasticité cérébrale et sentimentale de l'enfant est réelle, comme le démontre ce livre, elle a ses limites et un enfant délaissé trop longtemps risque de s'effacer peu à peu pour errer, tel un spectre, dans un monde de solitude d'où il ne sortira pas indemne.

Daniel Rousseau est un conteur né. Il sait donner vie à ces histoires d'enfants si singulières et si universelles. Plutôt qu'une rhétorique abstraite, il a choisi de prendre le raccourci si parlant du « bébé WiFi ». Il utilise une métaphore numérique : la relation entre le bébé et ses parents est assimilée à une connexion sans fil, plus ou moins forte, plus ou moins libre. L'analogie technique ne veut pas dire que l'enfant est assimilé à une machine – elle permet de mettre des mots sur des sentiments et des comportements. Il ne s'agit pas d'un exercice de style mais d'une volonté de mieux définir les cibles et les moyens d'une action guérissante. Le docteur Rousseau parvient à démontrer que l'essentiel est d'agir à temps en éloignant l'enfant, si possible provisoirement, mais au besoin définitivement, d'un réseau parental défectueux, pour lui offrir la possibilité de rentrer en contact avec des adultes, des personnes maternantes, des mères d'accueil, des psychologues, un monde beaucoup plus rassurant pour lui. L'enfant sait mieux que vous ou moi quelles sont les bornes « adulte WiFi » les meilleures et les plus saines, et il arrivera à les détecter si on lui offre la possibilité d'être dans une zone géographique bien couverte.

Le phénomène des bébés WiFi que narre Daniel Rousseau est à mon sens universel. Ses observations sont si justes et pratiques qu'elles m'ont permis de réinterpréter ou de mieux comprendre les situations que je rencontre chaque jour à l'hôpital dans différents services de pédiatrie. Trois histoires m'ont particulièrement frappée.

Foodil est un petit garçon de 8 ans atteint d'une trisomie 21. Cinq minutes après sa naissance, sa maman perd la vue sans qu'aucune cause ne soit trouvée, l'empêchant ainsi de s'occuper de son nouveau-né. Elle erre dans un monde de ténèbres, perdue, incapable de rentrer en contact avec lui. Heureusement, le papa de Foodil est fort présent. Fort et serein, ou en tout cas donnant cette impression à force de courage, il s'occupe de son fils, lui offrant un réseau sécurisant et sécurisé. Et progressivement, à force d'entendre les babillements de son fils, ses éclats de rire, ses pleurs parfois, la maman de Foodil va sortir de ce long tunnel de tristesse et de noirceur. Un long chemin vers l'acceptation de la différence de son fils. Elle retrouve la vue au bout de deux ans et découvre son enfant par le toucher et le regard. Foodil ne l'a pas rejetée, bien au contraire. Il l'a accueillie, il a pardonné. Comme s'il avait compris la souffrance de sa maman. Comme s'il savait, au fond, qu'elle l'aimait depuis le début mais n'avait pas su se connecter à lui.

Je me souviens aussi de Tania. Tania a 13 ans. C'est une petite fille parfaitement normale, entourée de ses parents aimants, idéalement connectée à eux jusqu'à l'âge de 1 an. Et puis elle n'a plus tenu sa tête. Et puis elle n'a plus pu se tenir assise. Les muscles de son corps l'ont abandonnée un à un, la faute à une leucodystrophie. Elle ne babillait plus. Elle ne riait plus. Il ne lui resta bientôt plus que son regard, intense, pour exprimer l'immensité de ses sentiments et de ses sensations. Sa maman est parvenue à maintenir une connexion de bonne qualité avec elle. Elles se parlaient pendant des heures par l'intermédiaire de leurs yeux et Tania se battait coûte que coûte pour maintenir ce lien. Mais pour son papa, la situation ne fut pas si simple. Il aimait sa fille. C'est une certitude. Mais le choc de l'annonce, l'intrusion de cette maladie dans leur vie furent trop durs à gérer. Il a alors détourné son regard. Il a rompu la connexion. Et puis il est parti, loin, revenant de temps en temps, au gré des hospitalisations de Tania en réanimation, à chaque annonce d'une mort imminente. Mais lors de leurs rencontres, s'il faisait un effort pour entrer en contact avec sa fille, par le regard, par le toucher, sa gêne était si palpable que cette fois-ci, c'est Tania qui ne le regardait plus. Elle ressentait son trouble et ne pouvait le supporter. Alors, telle la Belle au Bois Dormant, elle donnait l'illusion d'un profond sommeil lorsque son père était dans la chambre et elle se réveillait quand sa mère prenait le relais.

Et puis il y a Amara. Amara a 3 ans et un jumeau du même âge. Il est touché par l'une de ces pathologies dégénératives si injuste. Il ne peut plus faire un seul mouvement. Seul son regard, perçant, témoigne de sa volonté de vivre, malgré tout. Son frère jumeau lui, est « sain ». C'est un petit garçon espiègle qui court partout. La bonne face du miroir. Son papa et sa maman se sont progressivement détournés d'Amara pour se concentrer sur son frère. Ils oubliaient ainsi l'Amara malade pour se sentir apaisés par son double sain. Dans son petit lit, peu de jouets, peu de peluches. Pas de maman dans la chambre. Amara s'est alors vite rendu compte, en revanche, que l'infirmière, l'aide soignante, l'interne, le médecin le regardaient avec beaucoup d'intérêt et d'affection. Ils essayaient visiblement de rentrer en communication avec lui. Par des sourires, par le toucher. Et Amara a compris que c'est ce qu'il lui manquait chez lui.

Alors les séjours à la maison sont devenus de plus en plus courts. Et chaque fois, une apnée trop longue le ramenait chez nous. De plus en plus souvent. Un peu comme si l'absence de connexion avec ses parents l'étouffait et qu'il lui fallait cette petite chambre d'hôpital, l'attention des soignants pour retrouver une bouffée d'oxygène. Une bouffée de vie.

La vie qui triomphe là où on ne l'attend pas toujours, tel est le sujet du beau livre de Daniel Rousseau. Un livre très simple et humain, riche d'enseignements, qui a le courage de déboulonner le mythe de l'importance des parents biologiques pour nous rappeler que le bébé est avant tout un être humain, prêt à embrasser ce monde et à y agir, pourvu qu'on ne lui tourne pas le dos.

Préambule

La petite enfance reste terre inconnue, bien que nous l'ayons tous, et longtemps, parcourue.

La petite enfance est un monde d'émotions douces ou violentes, mais fugitives, dont la perception, aiguë à cet âge, s'estompe doucement. En effet, quand vient le temps des sentiments, de la parole et des souvenirs, ceux-ci s'écrivent en lettres grasses sur le parchemin de la vie, recouvrant la délicate trame primordiale des émotions, comme un palimpseste.

Cette petite enfance, nous l'avons tous traversée, sans en regarder les paysages et sans en fixer les images, sans doute trop préoccupés que nous étions de simplement vivre et survivre. Dans les bagages légers de nos enfances, nous conservons bien peu de souvenirs tangibles de cet émouvant voyage, et les mots manquent pour en décrire le panorama.

Puisse l'itinéraire de ce livre en offrir quelques perspectives, tout comme une route de montagne escarpée et sans horizon peut, par de soudaines trouées dans la végétation, nous dévoiler cimes et abîmes. Alors, tels de jeunes enfants curieux hissés sur la pointe de leurs pieds, nous tendons le cou pour observer ce qui reste à l'ordinaire invisible à nos yeux et impénétrable à notre entendement.

Mais comment entrer dans ce monde oublié ?

Il nous reste une chance : si les bébés ne parlent pas, ils font néanmoins commerce avec leurs semblables, les autres humains, par la puissance de leurs émotions. Ils nous les adressent avec énergie et les déposent en nous où elles s'enracinent pour peu qu'on leur prête attention. Les ressentir, les accepter, les partager, y répondre est la meilleure voie pour accéder à la compréhension de l'univers sensible et intense des bébés. Les bébés vous surprennent et vous accaparent avec leurs émotions. Il faut accepter de se laisser conduire sur leurs brisées.

Suivons celles de la petite Laura qui nous fera entrevoir quelques-unes des perspectives ouvertes dans ce livre.

Première perspective : le bébé fait puissamment commerce des émotions

Alors que j'assistai à une réunion très sérieuse au foyer[2] de l'enfance, des effluves insolites me chatouillèrent l'attention. Comme le sparadrap du capitaine Haddock, la question de l'origine de ce parfum s'est scotchée dans mon cerveau puis a envahi mes pensées et je ne parvins plus à m'en dépêtrer.

C'étaient mes mains. Mes paumes et mes doigts sentaient l'orange. C'était curieux. Le mystère de mes mains parfumées devint vite entêtant.

---

2. Les enfants qui traversent ces pages ont été recueillis dans une pouponnière d'un foyer de l'enfance. Ce sont des structures d'accueil permanent de bébés et de jeunes enfants confiés aux services de l'Aide sociale à l'enfance par décision judiciaire dans la plupart des cas, et par les parents eux-mêmes dans une très faible proportion.

Réduit à l'état de cancre distrait, j'expliquai à voix basse ma perplexité et mon embarrassante question à ma voisine, qui en ouvrit des yeux étonnés et ne sut que répondre à une information aussi saugrenue. Le pédopsychiatre s'étonne d'avoir les mains qui sentent le zeste d'orange. Un peu givré !

Soudain ce fut l'illumination. C'était la petite Laura qui s'était glissée dans ma tête par l'entremise de cette sensation olfactive et qui n'en sortait plus. Je me découvrais, malgré moi, hanté par cette enfant.

Laura et moi, nous nous étions croisés dans le couloir, il n'y avait pas dix minutes. Je ne la connaissais pas. Elle ne m'avait jamais vu. Nous étions bloqués dans l'embouteillage des chariots repas qui s'égaillaient de la cuisine vers les diverses salles à manger. Assise sur le sommet de l'un d'eux, trônant au milieu des fruits, elle cherchait à capter mon attention sans trop oser me regarder. Elle m'avait alors tendu une balle. J'ai accepté son geste et reçu ce cadeau. « Merci ! Je ne te connais pas ! Comment t'appelles-tu ? » Elle baissa la tête.

Son éducatrice me répondit : « C'est Laura, elle a 2 ans et demi, elle est arrivée au foyer il y a quelques jours seulement. »

Comme Laura, les bébés ont le pouvoir de s'incruster en nous dans nos pensées à notre insu en nous bombardant de leurs émotions.

Deuxième perspective : l'amour d'un bébé pour ses parents n'est pas inconditionnel

Je redonnai sa balle à Laura, qui me l'offrit à nouveau. La dislocation du bouchon routier des chariots repas interrompit notre jeu. La petite fille remit l'orange dans la corbeille de fruits. J'eus droit à un petit coup d'œil furtif.

Son éducatrice me glissa que Laura était une enfant sparadrap. Depuis son admission elle s'était très vite adaptée à la pouponnière et demandait à aller dans tous les bras qu'elle croisait. Elle ne réclamait jamais ses parents et quand sa mère voulait lui parler au téléphone, Laura se tendait, tournait le dos à l'éducatrice qui lui proposait le combiné et faisait « non » de la tête.

Avec sa fille, cette mère avait alterné attitudes coercitives et désintérêt profond. Elle la laissait attachée dans sa poussette la journée entière. Et ça ne la souciait pas de lui faire sauter le repas quand elle avait oublié d'aller faire les courses.

Laura appela très vite son éducatrice « maman » et lui fit des câlins en lui prenant la tête tendrement entre ses petits bras. Ce qui dévoile que l'amour d'un enfant pour ses parents n'est pas inconditionnel. Laura me l'avait aussi montré par sa recherche affective envers un étranger, moi en l'occurrence, et par le souci qu'elle me causait de ce fait.

Je m'explique.

Le petit d'homme est impuissant à vivre seul et dès ses premiers instants de vie il est apte à susciter l'empathie des humains en cherchant à se connecter aux meilleures bornes affectives à sa disposition où il projette ses émotions. Un bébé ne peut survivre et exister qu'en s'incrustant dans la tête et le cœur d'un adulte fiable qui saura avoir le souci de lui. S'il ne rencontre pas cette disponibilité vitale auprès de ses parents, il se tournera vers d'autres humains. C'est ce qu'avait fait Laura qui avait réussi à m'émouvoir en quelques secondes comme elle l'avait fait auparavant avec mes collègues.

Laura était en danger chez sa mère, dans le chaos, le manque de soins, l'insécurité permanente et un climat de terreur le plus souvent. Son frère et sa sœur, plus âgés, nous parlèrent assez vite et avec effroi du « bâton bleu » qui avait sa place attitrée sur le buffet de la salle à manger. Laura a trouvé auprès des professionnels de la pouponnière les réponses affectives et l'attention qui lui manquaient. Elle a très vite fait le choix de s'attacher à des inconnus rassurants plutôt qu'à ses parents, inadaptés et dangereux.

Troisième perspective : les bébés font des choix affectifs discriminatifs

J'appelle aujourd'hui ces petits, qui se connectent affectivement aux adultes les plus sécurisants de leur entourage, les bébés WiFi[3] par analogie avec les appareils électroniques portables qui scannent de façon discriminative les bornes numériques alentour à la recherche de la meilleure borne de connexion.

Mais il m'a bien fallu vingt ans d'observations pour découvrir et comprendre que ce phénomène observable chez l'enfant était d'abord une compétence précoce du bébé, et qu'il l'exerce dès le premier jour de sa vie. Ce n'est donc pas un comportement qui s'acquiert avec le temps, bien au contraire, puisque cette aptitude s'étiole et disparaît assez vite si le nourrisson ne trouve pas de connexion de qualité à disposition. Dans ces cas graves, le bébé peut perdre définitivement cette compétence innée car elle nécessite pour s'épanouir d'être reconnue, accueillie, soutenue, alimentée et enrichie par l'entourage.

Dès mes débuts au foyer de l'enfance d'Angers, de jeunes enfants me mirent sur cette piste par des comportements et des remarques qui m'avaient alors beaucoup dérouté. Par exemple lors de visites parentales, certains enfants n'allaient pas vers leurs parents, mais se mettaient au contraire à distance et cherchaient la protection de leurs éducateurs. Cela allait à l'encontre du discours commun qui véhicule l'idée que les enfants souffrent

---

3. Le WiFi – Wireless Fidelity – est à l'Internet rapide ce que le 3G ou le 4G est au téléphone portable à la différence près que c'est vous qui choisissez votre point de connexion en fonction d'une part des codes d'accès dont vous avez connaissance et d'autre part de la qualité du signal des *Hot Spots* disponibles. Vous pouvez utiliser Internet sur votre box personnelle en WiFi tandis que vos adolescents sont connectés sur les *Hot Spots* publics des voisins.

systématiquement d'être séparés de leur famille. Je découvrais que c'était loin d'être toujours le cas avec des parents inadaptés, malades ou violents. Surpris de ces constats, je me trouvai égaré, sans repères, ni aucun secours dans ce que j'avais appris durant mes études, où m'avaient été enseignés respect de l'autorité parentale, devoir de neutralité professionnelle et nécessaire mise à distance émotionnelle. J'ai malgré tout suivi le chemin que ces enfants m'indiquaient sans savoir où cela me mènerait. Ce sont eux qui m'ont permis d'appréhender petit à petit le phénomène des connexions affectives sélectives qui s'avéraient indépendantes de la géographie familiale.

Cette observation allait aussi à l'encontre des représentations courantes que chacun se fait des bébés – dépendants, passifs, qui tardent à avoir conscience d'eux-mêmes et du monde –, car ils ont en réalité la capacité de développer des comportements subtils et complexes pour susciter l'attention, l'intérêt puis l'affection d'autrui dès leurs premières heures de vie. C'est une nécessité vitale. Découvrir que les bébés étaient doués d'un certain degré d'autonomie, avec les limites qu'impose leur dépendance à autrui, dans la recherche d'un support affectif fiable fut une vraie surprise. Ce livre racontera donc aussi en filigrane comment les bébés entrent en communication avec les grandes personnes et de quelle manière ils cherchent à se faire une place auprès d'elles.

Tous les bébés fonctionnent sur ce mode de recherche affective de la meilleure qualité, ou d'une qualité suffisante, mais dans la majorité des cas, c'est-à-dire lorsque les parents sont attentifs à leur enfant, la dimension discriminative de ce phénomène n'est pas perceptible puisque l'enfant s'attache normalement à eux. C'est pourquoi nous sommes dans l'illusion de croire que l'attachement affectif aux parents est un processus logique et naturel.

La perception et la description de ce phénomène universel, la recherche affective discriminative du nourrisson, n'ont donc été rendues possibles que par le concours de plusieurs conditions très particulières lors de l'observation de ces bébés.

Ils vivaient séparés de leurs parents et étaient accueillis dans une pouponnière sociale où l'attention au bien-être des petits était une priorité, ce qui leur offrait une alternative affective de qualité. Leurs parents venaient néanmoins régulièrement passer du temps avec eux lors de visites en présence d'une éducatrice et d'une psychologue. Ces nourrissons avaient la liberté d'explorer la qualité des connexions affectives du côté du réseau familial – où les carences parentales qui avaient motivé leur placement ne manquaient pas de se manifester – en ayant néanmoins la garantie de trouver auprès de leurs éducatrices un support affectif substitutif constant et rassurant. Il était donc aisé d'observer sur le long terme les éventuelles évolutions des comportements affectifs qu'adoptaient ces bébés envers leurs parents ou avec leurs éducatrices.

Quatrième perspective : le bébé ne croit pas au lien biologique

C'est ce dispositif unique qui a permis l'observation du phénomène encore méconnu de la discrimination affective des bébés. Les enseignements à en tirer sur la constitution des premiers liens humains sont multiples mais la conclusion la plus inattendue est que pour l'enfant les notions de « lien biologique ou de lien juridique » n'existent pas. Pour un bébé, qui ne peut survivre que dans la dépendance totale à autrui, la seule question qui vaille est d'être pris en charge de façon adaptée et sécurisante par un autre humain, en dehors de toute autre considération.

Un bébé se contrefiche des questions de race, de sexe, d'origine ou de croyance quand il fait le choix d'une figure d'attachement. Seule compte pour lui la qualité de la réponse affective qu'il rencontre.

1 – Pourquoi tu m'as laissé tout seul ?

Jules, 5 ans, professeur en connexion affective sélective

Jules, 5 ans, fut mon premier professeur en connexion affective sélective. C'était pourtant une époque où Internet n'était encore qu'une curiosité et où les connections sans fil n'existaient pas.

Le juge des enfants avait ordonné le placement de Jules au foyer de l'enfance. Son père présentait des troubles psychiatriques sévères. Il avait agressé la grande sœur de Jules sous l'emprise d'un délire et avait été hospitalisé. Il apparaissait désormais ralenti par les médicaments. Le juge, informé de ses troubles mentaux, l'avait néanmoins autorisé à venir voir son fils en visite et il avait été estimé judicieux que le tout jeune pédopsychiatre que j'étais encore, tout frais émoulu de la faculté, fût présent lors de cette rencontre organisée au foyer de l'enfance.

L'enfant me connaissait peu, je ne l'avais vu qu'une seule fois auparavant. La visite se déroulait laborieusement. J'avais le sentiment d'une réserve réciproque entre le père et l'enfant.

L'enfant n'allait pas vers son père et celui-ci se montrait peu actif pour aller rejoindre son fils. Comment un père et un enfant n'auraient-ils pas été heureux de se retrouver après quelques semaines de séparation ? À mes yeux la situation

23

devenait pesante. Je tentai quelques manœuvres pour faciliter le dialogue, proposant à l'enfant de raconter l'école, le foyer, ses loisirs et invitant le père à le rassurer sur son absence, sur son état et à s'intéresser à son fils. Sans succès. Chacun restait sur son quant-à-soi. Et moi je voyais échouer ma lamentable tentative de reprise des liens entre l'enfant et son père.

J'eus l'idée naïve que c'était ma présence – j'étais un élément étranger à la famille – qui gênait l'expression de leur affection. Je formai donc l'idée de m'éclipser avec discrétion pour les laisser seuls espérant que cela libérerait leur spontanéité affective.

J'offris à Jules la possibilité de faire un dessin et prétextai un travail urgent pour quitter mon bureau et les laisser entre eux, la porte entrebâillée. J'allai attendre au secrétariat tout proche, à portée de voix. Je tentai de me concentrer sur quelque courrier à rédiger mais le silence persistant qui me parvenait de la pièce d'à côté prenait le pas sur l'environnement sonore, le cliquetis des machines à écrire et la conversation des secrétaires. C'était un silence pénible qui brouillait ma pensée. Bien que nous nous connaissions peu, Jules, à distance, s'imposait à mon esprit et me causait souci.

Je retournai les voir. Jules fixait la porte et semblait m'attendre. Son père était resté immobile et distant. Un au revoir sans chaleur et il est reparti.

Les dix mots qui changèrent ma perception de l'enfance

L'enfant me demanda alors tout soudain : « Pourquoi tu m'as laissé tout seul ? J'avais peur avec papa ! »

Je compris ce jour-là que Jules se sentait plus en sécurité avec un adulte qu'il ne connaissait pas qu'avec son propre père. J'admis aussi que Jules avait suscité chez moi une certaine préoccupation que je ne savais pas encore nommer, alors que nous n'avions aucun lien. Un enfant peut-il se sentir étranger à ses parents et se confier à un inconnu ? Si c'était le cas, c'était un constat en totale contradiction avec tout ce qu'on m'avait enseigné à la faculté sur le respect déontologique de l'autorité parentale et sur le droit de la famille. Et en opposition complète avec tout ce qui était véhiculé dans les milieux socio-éducatifs et du travail social : ne pas s'attacher aux enfants et refuser toute relation affective de crainte d'usurper la place des parents (version officielle), ou d'avoir à gérer les complications émotionnelles d'un attachement réciproque lors d'un départ de l'enfant (version pratique) ! En effet ces enfants ont parfois des parcours compliqués avec des placements qui se succèdent les uns aux autres, ce qui provoque des ruptures affectives qui sont certes difficiles à négocier pour eux, mais aussi pour les professionnels qui les ont accueillis.

Je découvrais ainsi combien, à mon insu, j'étais alors parasité dans ma compréhension du monde de l'enfance et de la famille par le discours dominant et si répandu qu'un petit était toujours désireux d'être avec ses parents et qu'il fallait coûte que coûte soutenir leur rôle de parents dans l'intérêt même de l'enfant. Une autre variante de ce discours est que l'enfant a plus que tout besoin de ses parents et que ceux-ci doivent donc être défendus à tout prix. Ce qui peut aboutir à se soumettre à ce syllogisme idiot qui en découle quand la famille est défaillante : protéger l'enfant en préservant ses parents – qui ne le protègent pas. Pourtant l'attitude et le comportement de certains enfants démontrent l'inverse lorsqu'ils cherchent plutôt à éviter leur contact et à trouver une réassurance auprès des professionnels. Encore faut-il, pour identifier cette position de l'enfant, être ouvert à une telle éventualité et accepter de la reconnaître.

À l'époque, je ne m'étais pas encore exercé à ce regard et j'étais au contraire formé à répondre à ces enfants, et donc à Jules, en usant du discours normatif habituel, si souvent servi et resservi aux enfants, qui consiste à excuser les parents en donnant une explication rassurante ou un faux espoir à l'enfant, voire même à lui conseiller d'oublier ce qu'il a vu ou ressenti.

Selon la logique de ma formation médicale et les canons de la pensée du travail social, j'aurais dû répondre à Jules, la voix docte et condescendante : « Ton père t'aime, tu es inquiet de le voir malade mais tu n'as pas à avoir peur de lui. »

Tout comme j'entendais déclarer aux autres enfants : « C'est vrai, ta mère n'est pas venue te voir mais elle pense à toi. Elle n'a pas téléphoné ? C'est qu'elle n'a plus de forfait. » « Tes parents ont oublié ton anniversaire ? Ils ont sans doute trop de soucis en ce moment. » « Ton père s'est mis en colère et a tout cassé ? Mais c'est qu'il était saoul, c'est la faute de l'alcool. » « Tes parents se sont battus ? C'est parce qu'ils ont trop de problèmes, ne t'inquiète pas, tu devrais penser à autre chose. » « Ton père a reçu un coup de couteau à la fête foraine ? C'était le copain de ta mère qui lui a fait ça ? Et il est allé avec toi à l'hôpital en marchant avec le couteau planté dans le ventre ? Sais-tu que ce n'est pas bien de raconter des mensonges devant tes camarades pour leur faire peur et faire l'intéressant[4] ! »

« Pourquoi tu m'as laissé tout seul ? J'avais peur avec papa ! »

La réflexion de Jules m'avait touché et déstabilisé. Alors je me suis abstenu de ces niaiseries habituelles. Je lui ai au contraire répondu que, quand son père reviendrait, il y aurait désormais, et toujours, un adulte du foyer, éducateur, psychologue ou moi-même pour être présent à ses côtés. Je raccompagnai Jules auprès de ses éducateurs. Dans le couloir il me prit la main et me serra très fort trois doigts de la main droite. Ma réponse

---

4. Anecdote cocasse, avec le recul du temps, qui est arrivée à un petit de 4 ans, placé au foyer de l'enfance. Il avait fait le récit de « son week-end » devant la classe le lundi matin. Sa maîtresse ne l'avait pas cru et avait convoqué les éducatrices pour le tancer devant témoins et l'avertir de ne plus raconter de carabistouilles à ses camarades. Convaincre le juge des enfants que les sorties en week-end n'étaient pas souhaitables dans ces conditions fut difficile, le père n'ayant pas voulu porter plainte pour des raisons obscures. La police n'avait donc eu aucune connaissance de l'agression, pourtant bien réelle comme nous l'a confirmé plus tard l'intéressé. La parole des enfants est toujours suspecte.

et son geste d'assentiment m'avaient mis hors les clous des règles de la neutralité bienveillante prônées dans l'exercice professionnel et m'entraînaient par des chemins de traverse sans carte ni boussole. Mais depuis, je n'ai à aucun moment regretté les avoir empruntés et explorés.

Je n'ai jamais oublié cette leçon reçue d'un enfant de 5 ans.

Par la suite, je restais sensible et attentif à ce double constat difficile à admettre : un enfant peut aller rechercher une sécurité affective, physique ou psychologique en dehors du cercle familial et susciter plus de préoccupation chez un étranger que chez ses propres parents.

Marc et le cafetier

Je me souviens ainsi de Marc avant son arrivée au foyer de l'enfance. Il avait 7 ans. Il vivait seul avec sa mère, ancienne institutrice qui avait déclenché une psychose délirante. Elle vivait dans un monde à part mais pouvait encore, certains jours, s'adapter à quelques exigences concrètes du quotidien, faire trois courses, préparer un semblant de repas. Elle traversait ses journées perdue dans des écritures folles. Ils habitaient le dernier appartement encore occupé d'une tour promise à la démolition dont l'exécution était sans cesse repoussée, un fascinant spectacle en perspective, du fait de l'impossibilité de leur faire quitter les lieux. L'immeuble était désert mais la maman, sujette à un délire de persécution, refusait toutes les offres de relogement. L'hygiène de l'appartement était déplorable. Marc ne sentait pas bon. La nuit, sa mère déambulait dans les rues, soliloquait ou injuriait des interlocuteurs invisibles tout en visitant les poubelles. Marc l'accompagnait, discrète petite présence nocturne dans le désert urbain, ce qui intrigua une ronde de police. C'est ce qui accéléra enfin son placement.

1 – Pourquoi tu m'as laissé tout seul ?

Marc était un enfant brillant qui avait beaucoup investi l'école où des adultes attentifs s'étaient souciés de lui. Il était toujours collé à sa maîtresse et cherchait à capter son attention en produisant un excellent travail. Les adultes analysaient la situation en déclarant qu'il était en carence d'affection, comme si c'était un manque de vitamine ou de fer, et qu'une bonne dose d'attention journalière en viendrait à bout. C'était se méprendre sur deux choses. La première, c'est que pour un enfant – mais ça, les amoureux passionnés l'expérimentent aussi – l'amour n'est pas une denrée qui peut se partager au détail, à la découpe, sous sachet, par dose, par unité de temps, de température, de poids, de longueur ou de volume. Car ainsi mesuré, ce n'est plus que de l'affection, de l'attention, de la bienveillance, mais pas de l'amour, qui contient chacune de ces dimensions mais les dépasse toutes par son caractère absolu.

La deuxième chose, c'est que l'école n'occupe pas toutes les heures d'une journée, ni tous les jours d'une semaine, ni tous les mois d'une année. La vie était difficile avec cette mère envahie par ses pensées délirantes, inaccessible à une conversation sensée et qui refusait toute proposition de soins. Pour elle, c'étaient les autres qui étaient fous.

Alors, avant l'école, après l'école, Marc passait son temps au petit bar d'en face aux côtés de M. Victor, le cafetier. Habitué à se débrouiller sans aide pour bien des choses, à survivre seul dans le monde des adultes, Marc se montrait hardi avec les clients et passait pour un enfant sans-gêne. Mais M. Victor, qui avait compris la solitude de cet enfant, le tolérait tant bien que mal – les services sociaux tardant à prendre une décision de placement. Il ne s'autorisait pas à refuser l'aide brouillonne, zélée et empressée, de l'enfant qui débarrassait les verres à peine finis, parlait fort et sans retenue, tutoyait la clientèle, réclamait des pourboires et se mêlait de tout. De toute façon, aurait-il mis Marc à la porte que celui-ci serait aussi vite rentré par la fenêtre. Marc vivait en squatter chez M. Victor. C'est cette caractéristique que je retrouverai plus tard chez les bébés qui sont capables de connexions affectives sélectives : ils parviennent à occuper à titre gracieux des cerveaux d'adultes qui ne sont pas ceux de leurs parents, quand les adultes qu'ils croisent sont réceptifs et attentifs à eux.

Louise et Luc ont peur de leurs parents

À mes débuts à la pouponnière, une autre histoire, celle de Louise et Luc, 4 ans et 3 ans, m'avait conforté dans le constat que des enfants en danger peuvent manifester de la défiance vis-à-vis de leurs parents et aller vers des adultes étrangers pour rechercher de la sécurité. Cette deuxième caractéristique que j'observerai chez les bébés est plus facile à comprendre et à concevoir chez des enfants plus grands. Cela peut vous paraître encore difficile à admettre qu'il en soit de même pour des bébés.

C'était peu de dire que la mère de Louise et Luc n'était pas facile à vivre. La travailleuse familiale qui allait les accompagner au domicile lors des sorties du foyer, une fois par semaine, n'était elle-même pas très rassurée. Elle avait appris à ne pas contrarier cette femme pour protéger les enfants de ses sautes d'humeur imprévisibles et de ses colères tonitruantes. Mais elle n'y parvenait pas toujours. Elle nous avait raconté qu'une fois, leur mère ne retrouvant plus son nouveau chaton dans l'appartement se mit dans une furie incontrôlable, accusant les enfants de quelque méfait. Elle leur intima l'ordre de s'asseoir sur le canapé et de n'en plus bouger tant que le jeune animal ne serait pas réapparu. La travailleuse familiale dut se soumettre à la même obligation et se vit bloquée avec les enfants, assis l'après-midi entier à trois sur deux places exiguës, jusqu'à ce que, sa sieste terminée, monsieur chat daignât sortir de son placard. Cette mère terrorisait ses enfants et les professionnels, et leur accordait moins de considération qu'à son animal.

C'était avant de connaître leur père.

J'avais convoqué les parents de Louise et Luc à un entretien au foyer de l'enfance. Je les fis entrer dans la salle de consultation qui était meublée, sur son axe diagonal, d'une petite table et d'une chaise pour le médecin, et de deux chaises confortables en vis-à-vis, à distance relative. C'était spacieux, il y avait où circuler. Quelques jeux et jouets disposés sur un tapis dans un coin, sur l'autre diagonale, à mi-chemin des parents et du consultant. Une éducatrice fit entrer les enfants dans la pièce. Ils marquèrent un temps d'arrêt en apercevant leur père, je notai une sorte de crispation fugace sur le visage de Luc, puis ils embrassèrent leurs parents. Ensuite, ce qui me surprit, ils ne firent aucune tentative pour aller explorer les jeux, restant debout, presque studieux, auprès des visiteurs. J'en fus étonné, connaissant les grandes difficultés de Louis à rester en place et son agitation incessante. Motus et bouches cousues, sages comme des images, deux enfants de cire. Tous les quatre me faisaient face.

Assis derrière mon petit bureau, je commençai l'entretien, afin de détendre l'atmosphère, par quelques banalités d'usage sur ma satisfaction qu'ils se soient déplacés pour venir échanger et sur la bonne mine des enfants.

Je tiens toujours à recueillir au cours de ces rencontres le sentiment des parents sur les raisons du placement, leur niveau de compréhension de sa nécessité et leur appréciation de l'évolution de l'enfant. C'est un exercice qui m'inquiétait à mes débuts, imaginant les possibles réactions hostiles de parents qui s'étaient vu retirer leurs enfants. L'expérience m'a montré que ce mode de comportement était marginal et que bien au contraire, dans la grande majorité des cas, ces parents meurtris sont reconnaissants que l'on s'occupe au mieux de leurs enfants et qu'on les tienne informés.

C'est dans cet esprit tranquille que j'abordais aussi ce rendez-vous, avec néanmoins deux petits clignotants dans un coin de mes pensées : des enfants de cire et un chat problématique.

Les parents de Louise et Luc étaient aussi calmes et froids que la mer dans l'œil d'un cyclone lorsqu'elle prend une teinte d'huile sombre, sous le couvert d'un ciel noir et immobile. Aucun son, aucun souffle, pas même le bruit du ressac. Des réponses laconiques sans émotion apparente. Pas prolixes pour un sou malgré les enjeux de la situation. Mais l'entretien dérapa très vite pour un prétexte futile.

Ils se levèrent de concert et se mirent à hurler en un duo discordant, chacun selon une partition dissonante. Je me souviendrai toujours de cette scène stupéfiante de deux parents gueulant chacun pour soi en m'injuriant sans même s'écouter ni se faire écho. En réaction au volume sonore qui augmentait, je vis deux petites statues de cire se déplacer en catimini, s'éloigner de leurs parents, passer par la case tapis de jeu sans s'y arrêter et longer le mur pour se réfugier imperceptiblement derrière moi. À la recherche d'un havre protecteur face à l'ouragan qui menaçait, ils m'avaient utilisé comme brise-lames pour se mettre à l'abri. Notre position fut submergée par les vagues successives d'un flot verbal violent et agressif qui redoubla devant le spectacle des deux fugueurs qui avaient osé chercher refuge hors du giron parental. La preuve que la pouponnière était bien un service de voleurs d'enfants et qui, en plus, les montaient contre leurs ascendants légaux. Le départ hurlant des parents s'agrémenta de menaces de mort à mon endroit mais mit un terme à cet épisode pénible.

Nous apprîmes que les enfants avaient vécu la même expérience au tribunal. Louise et Luc avaient assisté lors d'une audience à une explosion violente de leurs parents qui, vociférant, avaient insulté et promis le pire au juge des enfants censé incarner la loi et les protéger de ces excès. Celui-ci les menaça d'en référer au procureur, sans grand effet.

À la suite de ces événements, nous comprîmes pourquoi Luc faisait colère sur colère. Dans ses yeux et ses cris se succédaient pleurs de désespoir et fureur agressive. Il clignotait comme

1 – Pourquoi tu m'as laissé tout seul ?

un gyrophare, selon qu'il se vivait comme l'enfant terrifié ou qu'il s'identifiait au père terrifiant. Louise oscillait aussi dans des mouvements affectifs contradictoires vis-à-vis de ses éducatrices, demandant réassurance et réconfort un moment, pour sombrer un peu plus tard dans l'agressivité et l'opposition, puis revenir se faire consoler. Ils alternaient tous deux dans leurs connexions affectives entre le court-circuit épuisant d'être à la fois victimes fascinées et monstres effrayants, restant branchés sur le spectacle angoissant qu'imposaient ces parents terribles. Mais s'ils désiraient se reposer à distance de cet univers affolant dans les bras plus rassurants de leurs éducatrices, ils se voyaient exposés à un autre danger, ayant vu leur parents attaquer à plusieurs reprises ce havre en principe protégé. Nul refuge ne pouvait leur être garanti.

Les enfants font le choix d'adultes tutélaires qui ne sont pas toujours leurs parents

Les enfants en souffrance auprès de parents très difficiles se cherchent des appuis extérieurs réconfortants qu'il est parfois difficile de leur assurer.

Dans mon précédent livre[5], sur les histoires d'enfants du foyer de l'enfance d'Angers, je relis dans celle de Stéphane « cet épisode particulier, dont j'ai beaucoup appris [...] où cette petite main glissée furtivement et en cachette à une professionnelle plutôt qu'à ses parents nous avait alors éclairés sur la profonde insécurité de Stéphane face à eux et sur le fait qu'il ne les reconnaissait pas comme adultes tutélaires. » Aujourd'hui, dans l'après-coup, quinze ans plus tard, je peux en conclure que j'avais déjà pris conscience du phénomène des connexions

---

5. *Les Grandes Personnes sont vraiment stupides : ce que nous apprennent les enfants en détresse*, Paris, Max Milo, 2013.

affectives sélectives, mais que je ne savais pas encore leur donner un nom. Et si je les avais alors décrites de façon limpide, cet exemple en témoigne, j'étais encore très loin de comprendre à l'époque qu'il pouvait en être de même pour les bébés.

J'ai bien mis dix années de plus pour découvrir qu'il n'y avait pas de limite d'âge à ce phénomène et qu'un bébé de quelques heures peut s'abandonner à des bras et en refuser d'autres, s'échapper d'une relation imposée pour s'accrocher à un être humain inconnu mais plus sécurisant, puis se glisser dans son cerveau et habiter ses pensées.

2 – CONNEXION IMPOSSIBLE, BÉBÉ AMORPHE

Comment se protéger d'un sortilège trop puissant

En médecine, la quarantaine et l'isolement restent des méthodes éprouvées pour réduire les risques de contagion. Dans notre monde technologique de l'hyperconnexion, la façon la plus simple de se protéger de l'attaque d'un virus informatique, entre le moment où le danger est détecté et le jour où une parade antivirale s'avère efficace, reste de se déconnecter. Les contes et les légendes nous enseignent aussi que dans la vie humaine s'endormir peut être un moyen commode de se soustraire aux sortilèges maléfiques, ou d'échapper à la mort.

Ainsi, les frères Grimm nous content que Blanche-Neige survécut au mauvais sort voulu par la reine – sa marâtre dans le texte définitif mais sa mère naturelle dans la première version de 1812 – en plongeant dans un coma profond. Toute une équipe de travailleurs sociaux de petite taille, aux caractères divers, des grincheux, des joviaux et tant d'autres, l'avait prise en charge le temps de son hospitalisation en service de réanimation – elle y fut installée dans une très grande couveuse transparente – jusqu'à ce que son amour pour un jeune prince lui permette enfin de s'émanciper de l'emprise maternelle mortelle et de recouvrer la liberté de vivre.

Une autre héroïne, la Belle au Bois Dormant, fut protégée d'un destin tout aussi funeste par une bonne fée, sans doute une grand-tante, qui lui permis de se déconnecter des ondes nocives de la Carabosse et d'attendre des jours meilleurs pour se rebrancher à la vie. Un traitement long et difficile quand même. En effet, elle dut passer trente-six mille cinq cent soixante-quinze jours en service de réanimation médicale – imaginez la note pour la Sécurité sociale ! –, à l'abri dans sa bulle transparente. Une version plus ancienne de la légende raconte qu'elle manqua ensuite d'être dévorée par sa belle-mère, une ogresse, et fut sauvée une nouvelle fois, *in extremis*, par son prince.

Dans ces contes, les deux jeunes filles furent donc protégées d'un climat familial mortifère, soit par une fée, soit par des nains, qui firent office de parents de substitution jusqu'à l'émancipation des princesses.

Être protégé et devenir capable de s'affranchir des influences toxiques, ce qui exige des soutiens affectifs de qualité, voilà les deux conditions indispensables pour qu'un bébé puisse se construire dans des conditions relationnelles difficiles. Cela peut parfois obliger à un passage par un service de réanimation psychique quand le sortilège s'est montré trop puissant.

Mélanie à la maternité

Mélanie, premier jour

À sa naissance, Mélanie manifestait une vitalité et une tonicité de bon aloi. Un bébé en forme qui se montrait réactif à la voix humaine et intéressé par les visages des personnes qui l'entouraient. Rien à signaler, tout était rassurant, la lumière du monde semblait belle.

Toutefois, les difficultés intellectuelles de ses parents suscitèrent quelques inquiétudes à l'équipe médicale de la maternité et il avait été décidé avant même la naissance de garder cette mère et ce bébé quelques jours de plus qu'à l'habitude en observation, par prudence.

Mélanie, deuxième jour

Mélanie commença à élaborer son chef-d'œuvre, une encyclopédie sensorielle et relationnelle du monde, travail immense qui l'occupera toute sa vie. Mélanie débuta ce chef-d'œuvre par des travaux pratiques : le bain.

C'est une expérience corporelle et psychique impressionnante pour un nouveau-né que d'être confronté dès les premières heures de sa vie extra-utérine au changement radical de son environnement interne et externe que représente le fait de passer brutalement d'un état de stabilité physiologique quasi immuable à un état de perpétuel déséquilibre. Le temps du bain, qui est loin d'être un retour paisible au milieu liquide intra-utérin, en est un bon exemple.

Pourtant la science pédiatrique moderne ne voit, souvent, dans cette nécessaire pratique de puériculture qu'une raison d'hygiène tandis que Plutarque nous dévoilait, il y a vingt siècles, le sens et la nécessité de cette cérémonie rituelle de passage : « Car rien n'est si imparfait, si indigent, si nu, si informe, si souillé que l'homme quand on le voit à sa naissance. Il est presque le seul à qui la nature a même refusé un accès immaculé à la lumière. Tout barbouillé de sang et plein de saleté, il fait plus penser à un assassinat qu'à une naissance, il n'est pas bon à toucher, ni à ramasser, ni à couvrir de baisers, ni à prendre dans les bras, sauf pour qui lui porte naturellement de l'amour[6]. » Dans l'Antiquité le premier bain était donc le temps de l'acceptation de l'enfant par le *pater familias*, il y était alors reconnu comme membre de la famille bien avant que lui soit donné un nom et qu'il soit présenté aux ancêtres. Il introduisait une séparation

---

6. PLUTARQUE, *Œuvres morales. Livre VI, 32, De l'amour de la progéniture.*

2 – Connexion impossible, bébé amorphe

entre ce que l'on garde et ce que l'on rejette, entre le propre et le sale, entre le pur et l'impur, entre l'animalité et l'humain, entre la barbarie et la culture, entre la bête qui lèche de sa salive et l'homme qui purifie par l'eau. Un rite essentiel et grave bien qu'associé à l'accueil émerveillé d'une nouvelle vie. Sinon le nouveau-né était abandonné nu, avec pour seuls vêtements les tags repoussants des humeurs de l'accouchement.

Pour Mélanie, à cet instant, c'est seulement quitter la douceur du contact élastique et chaud d'un corps animal et se retrouver sur une surface confortable mais inerte et inanimée. Les membres que l'on tire un à un pour défaire les petits vêtements. Une vague de fraîcheur progresse en surface de la peau des extrémités vers la masse du corps. Le souffle chaud d'un visage qui se penche. Un petit courant d'air qui accompagne ses mouvements. L'odeur acide et lactée des premières selles. Le parfum d'un corps qui s'agite au-dessus. Une large main qui soulève le dos, un pouce glissé sous l'aisselle. La tête en équilibre sur un poignet. Le temps de la lévitation, le corps porté en suspens. Translation instable avant d'atteindre la surface liquide. Vient le moment le plus vif, le contact puis l'immersion progressive dans l'eau, même si la température est parfaite. C'est une sensation aiguë que revisitera l'enfant lors de l'expérience de ses premiers bains en eau libre, un lac, une rivière, la mer, où l'on s'y plonge étape par étape pour apprivoiser la vivacité des sensations que procure l'abandon aux éléments, l'eau, le soleil et le vent, tout en quittant le poids de la terre. Perdre pied. Le flot qui monte à une vitesse folle, plus rapide que la marée qui vous rattrape au Mont-Saint-Michel. La mer s'élève, comprime le ventre, pèse sur la respiration, puis s'arrête enfin, étale, au niveau des épaules. Sauvée. Une respiration et un soupir. Sur la peau de Mélanie le liquide invisible transmet sa tiédeur, jamais exacte. La pesanteur s'estompe, une partie du corps flotte. La musculature abandonne la lutte, s'apaise petit à petit, les bras s'écartent, les mains s'ouvrent, les doigts se desserrent, les jambes se relâchent, les orteils se décontractent. Les poumons se déplient à nouveau. Une légère détente du visage apparaît après ce concentré de sensations en si peu d'instants.

Les premiers supports affectifs du bébé : le regard et la parole

Son regard qui en cherche un autre

À l'entrée dans le monde, le premier bain, qui ne répond à aucun besoin physiologique mais relève de rituels anthropologiques archaïques, représente une épreuve physique et initiatique qui ne peut être traversée sans paroles qui guident, rassurent, tempèrent, orientent, racontent le corps et ses émotions naissantes en leur donnant un sens. Mélanie attend des mots qui lui racontent les perceptions neuves de la géographie de son corps parcourus par les éléments, l'eau, l'air, la chaleur et la pesanteur nouvelle. Mélanie espère une parole qui lui dise sa place dans le monde. Tu es mon enfant, je suis ta mère, je suis ton père, nous prenons et nous prendrons grand soin de toi. Plongée au cœur de ces sensations et dans l'émotion de cette attente, Mélanie cherche à croiser un regard humain. Mélanie cherche le regard de sa mère.

Absente

Une mère absente, ou présente à la marge, au bord – de la baignoire en l'occurrence. Elle donne le bain à sa fille mais regarde le bord de la baignoire. Puis elle regarde sa fille, son bras, ses pieds, sa tête, son visage mais pas ses yeux. Mélanie cherche les yeux de sa mère, ne les trouve pas, dérive et s'accroche à un détail de son vêtement. Alors sa mère fixe les yeux de sa fille. Mais Mélanie est passée à autre chose. Ce quiproquo des regards se rejoue plusieurs fois, sans résolution. La maman ne l'appelle pas de la voix pour rattraper cet échouement. Destinataire absent, retour à l'expéditeur, mais sans avis de passage du facteur. Elles divergent et ne se rencontrent pas. Comme une pièce de Feydeau, quand le mari entre en scène côté cour, l'amant est en train de sortir côté jardin et vice versa. Il est difficile de savoir si la mère fuit sa fille ou si c'est Mélanie qui ne parvient pas à se mettre dans le timing de la maman.

Certes, cette maman s'occupait de ce bébé, mais quand ça lui chantait, comme d'un baigneur que l'on prend et que l'on laisse, et d'une façon mécanique. Les pleurs de Mélanie ne provoquaient aucune réaction chez elle. La nuit entière et tard le matin elle ne se réveillait pas pour la nourrir.

Afin de pallier ces carences, les puéricultrices imaginèrent de lui dessiner un emploi du temps imagé avec les horaires des biberons. Sans succès. Lorsqu'elle s'occupait de Mélanie ses gestes étaient brusques, inadaptés. Elle ne soutenait pas sa tête ou pouvait l'attraper par un pied. Elle ne la regardait pas et ne lui parlait pas. Mélanie n'avait pas de place dans sa tête.

Mélanie était seule.

La solitude de Mélanie

Mélanie, troisième jour

Mélanie cherche à poursuivre sa genèse du monde mais elle se heurte à la porte même de la solitude. Pas de connexion affective disponible, Mélanie ne croise qu'un monde dépeuplé. Comment dans ces conditions avoir l'envie de vivre ? Pour commencer à penser, c'est-à-dire exister, un bébé a besoin de rencontrer les pensées d'un autre être humain qui se préoccupe de lui. Et pour ce faire, c'est un message archaïque qu'il envoie, ténu, délicat à déchiffrer, comme le truhuhulhuhut long et chevrotant des premiers modems analogiques lors de la connexion ou encore le bip monotonal très espacé du premier Spoutnik.

Mélanie pleure, c'est l'heure du biberon. Mais la maman a entamé son plateau-repas. Mélanie continue de pleurer. La maman lui tourne alors le dos. La puéricultrice lui fait remarquer les pleurs de Mélanie. La mère, dérangée dans son repas, grogne. Les parents regardent la télévision, le bébé pleure, rien ne se passe. Ils ne se déconnectent ni du son ni de l'image du téléviseur.

Mélanie, quatrième jour
Mélanie est insécurisée par les gestes peu rassurants de sa mère. Elle soulève maladroitement Mélanie en empoignant à deux mains les deux petites épaules, la tête chutant en arrière. Puis, s'apercevant qu'elle n'a plus de main libre pour lui soutenir le cou, elle pose la tête en premier sur la table à langer.

Elle la plonge dans le bain. Mélanie, ne rencontre toujours que le vide et l'absence.

Soudain, dans un ultime sursaut vital, Mélanie tente le tout pour le tout. Éperdue, elle ne cherche déjà plus sa mère, mais tourne son regard vers une autre présence humaine. C'est la puéricultrice du service, présente à cet instant au côté de la mère. Elle a perçu la détresse de Mélanie et s'avance un peu, se penche au-dessus de la scène. À l'instant Mélanie agrippe son regard au sien comme un noyé s'accroche au filin qui lui a été jeté et offert. Cette professionnelle soutient ce regard et ne le lâche plus. Elle ne quitte plus Mélanie des yeux. Un humain a enfin accepté de répondre à cette bouteille jetée à la mer, au bip-bip interstellaire et au truhuhulhuhut cahotant des vieux modems. L'homme n'aime pas s'imaginer seul dans l'univers et à défaut d'un Dieu, que certains craignent ou dont d'autres doutent, il espère découvrir, ou le redoute, d'autres égarés, semblables ou dissemblables, extraterrestres par définition.

Un peu après, la maman regardait la télévision en donnant le biberon, sans échange avec son bébé. Mélanie gardait les yeux fermés. La puéricultrice baisse le son, parle à Mélanie qui ouvre les yeux et s'accroche de nouveau à son regard à elle.

Mélanie a renoncé au commerce des humains

Mais pour Mélanie, c'était déjà presque trop tard. Le sortilège d'errance dans le désert sidéral était trop puissant. Mélanie avait rejoint les limbes et renoncé à toute possibilité de connexion en présence de ses parents.

Mélanie, cinquième jour et les suivants

À quoi sert de décompter le temps quand tout est semblable. Mélanie, passive, devenue elle aussi l'absente, évitait le contact des humains, tant celui du personnel que celui de ses parents. Son corps s'était amolli, ses mouvements raréfiés. Elle ne bougeait quasiment plus ses petits membres. Elle n'ouvrait plus les yeux, même lors du biberon. État de coma affectif gravissime.

Le papa s'en est toutefois inquiété et a demandé avec une certaine pertinence : « C'est normal qu'elle ait tout le temps les yeux fermés ? » La mère n'avait rien remarqué et en avait marre de l'hôpital. Elle voulait rentrer chez elle avec son joujou inanimé et silencieux.

Mélanie, huitième jour

Nadia, la psychologue de la maternité, alarmée par ce collapsus relationnel, demanda à la puéricultrice de tenter une manœuvre désespérée : un massage psychique. Un ultime recours pour essayer de la réanimer, à l'écart des parents invités par Nadia à venir discuter dans son bureau le temps de l'opération. Assise près du berceau, le visage à hauteur de Mélanie, la puéricultrice tente de l'éveiller avec des paroles douces. Elle sait que Mélanie garde ses yeux fermés sur le monde mais elle sait aussi qu'elle ne dort pas. « Mélanie, Mélanie, je te regarde et je sais que tu m'entends. » Cinq minutes, dix minutes, quinze minutes, rien n'y fait, Mélanie ne veut plus revenir parmi les vivants.

Elle ne se décourage pas pour autant. Le mandat de son équipe lui fait devoir et lui donne confiance, elle refuse de croire que la création du monde s'est arrêtée au sixième jour et que tout est joué. Elle refuse de croire que Mélanie a quitté l'attraction de la terre, où vivaient des humains, pour errer dans la désolation infinie de l'espace. Elle ne veut pas abandonner ce bébé perdu. Elle poursuit la réanimation au-delà d'un temps qui se voudrait raisonnable. D'ailleurs la raison n'a plus rien à voir là-dedans. Après vingt longues minutes d'invitation à la vie, Mélanie redresse enfin sa tête du petit matelas, ouvre les yeux et regarde à nouveau la lumière du monde.

Mais les jours suivants, avant son départ pour la pouponnière, ordonné par le procureur, elle n'ouvrira plus jamais les yeux en présence de ses parents, même au temps du biberon. Pourtant à certains moments les soignantes perçoivent que malgré ses yeux clos, Mélanie reste attentive à leurs voix.

En l'absence de connexion affective stable de bonne qualité, Mélanie n'a plus ni l'appétit de vivre ni le désir d'exister.

Reste-t-il un espoir ?

La princesse des limbes

Les premiers temps à la pouponnière, Mélanie est toute molle, son cou a besoin d'être maintenu pour que sa tête ne tombe pas. Parfois elle s'endort au cours du biberon qu'elle entame pourtant goulûment, mais sans déglutir. Le lait coule de sa bouche par les commissures des lèvres. Elle déborde mais ne se remplit pas.

C'est le plein été, il fait une bonne chaleur mais la peau de Mélanie se marbre au moindre changement de son environnement, témoignant des émotions intenses qui la submergent et qu'elle ne peut endiguer. Les enfants et les grandes personnes expriment leur émotivité par toutes les couleurs possibles du visage, rose de contentement, blanc comme un linge, pâle comme la mort, vert de peur ou de rage, livide de chagrin, rouge de honte, voire même pivoine ou rubicond. Les bébés ne maîtrisent pas encore toute la gamme et la palette de ces émotions et lorsqu'elles sont trop intenses, les couleurs se mélangent à la surface de leur corps tout entier : leur peau peut se marbrer d'un coup, parcourue d'ombres, de rougeurs, de bleuissements fugaces et de lumières.

Mélanie a une perception exacerbée de tout ce qui vient toucher son épiderme. Même le contact de l'eau du bain, à bonne température, où elle est déposée tout doucement, environnée de paroles, la fait défaillir. Ses yeux partent en arrière, elle est encore plus molle que molle. Il faut la sortir de la baignoire, l'envelopper, la tenir serrée contre soi, lui parler doucement pour qu'elle reprenne vie. Ses maternantes firent alors le choix de la baigner emmaillotée de langes légers pour atténuer les moindres contrastes de température et lui épargner l'épreuve du dépouillement. Un linceul prémonitoire ?

En effet, la mort psychique, figure impavide, éviscérant les âmes de l'intérieur, anéantissant sans vergogne les moindres émotions, légères, fortes ou subtiles, toutes les émotions, rôde alentour.

Mélanie ne se manifeste jamais, pas de pleurs, pas d'accroche du regard, pas de signe d'impatience quand approche l'heure du biberon. Mélanie émerge très peu souvent de sa léthargie et de son sommeil. Il est difficile de faire la distinction entre les moments où elle garde ses yeux fermés, son visage est peut-être alors moins figé dans la cire, et le temps de sommeil. Les courts instants d'éveil sont mis à profit pour la nourrir.

Les nuits sont tout aussi silencieuses, ce qui est très étrange pour un si jeune bébé. La question rituelle posée aux jeunes parents est de leur demander si leur bébé fait enfin ses nuits. Avec Mélanie pas de souci, elle a un sommeil d'ange, un ange déjà parti dans les limbes, ou plus exactement, elle dort d'un silence de plomb. Mais tout aussi bizarre, environ une fois par semaine, Mélanie passe une très mauvaise nuit. Elle pleure alors beaucoup et elle a de la difficulté à boire son biberon. Encore plus étonnant : ces nuits-là, Mélanie se raidit quand elle est prise dans les bras, comme si elle se défendait, alors qu'elle est si molle le reste du temps. Pour Coline, notre expérimentée pédiatre, ce n'est pas le corps qui souffre.

Une observation scientifique du chaos intérieur d'un bébé

Alors notre infirmière, qui est douée d'un bel esprit scientifique, marque d'une pastille rouge sur le calendrier ces sommeils agités et en cherche la cause. Très vite elle constate que ce rythme apparent correspond aux nuits qui suivaient les visites de ses parents. Sauf une fois. Ce qui est incompréhensible. Elle pousse plus loin les investigations et relit avec attention les comptes rendus de chacune des visites, tous rédigés avec une extrême minutie.

L'étude du récit détaillé de ces rencontres permet de comprendre que la seule fois où Mélanie a dormi ensuite sans pleurer est celle où sa mère l'a laissée allongée dans son transat sans chercher à la porter. Il est vrai que cette maman est maladroite avec sa fille. Elle la bute contre ses lunettes, lui met ses cheveux dans le visage, ne lui soutient pas la tête et la pose en équilibre instable sur le bord de ses genoux au point que le personnel est obligé d'intervenir pour qu'elle ne chute pas. Elle manipule sa fille sans lui parler, sans la regarder, comme si ce n'était qu'un petit animal ou une poupée de Celluloïd. Mélanie n'ouvre quasiment jamais les yeux pendant les rencontres avec ses parents.

De sa nuit sidérale, des confins de l'univers, Mélanie nous avait envoyé un message confus de détresse. Il a été capté et enregistré avec précision puis déchiffré avec maestria. Enfin quelque chose à quoi se raccrocher dans l'obscurité.

Nous décidâmes de demander à la maman de ne plus prendre sa fille lors des visites, en lui expliquant qu'il était indispensable que Mélanie se rassurât auprès d'elle. Elle s'y résigna et l'accepta. Grâce à ce sacrifice, Mélanie retrouva son calme sommeil. C'était une maman limitée, qui pouvait bouder et se fâcher lorsqu'elle était contrariée, mais qui faisait toutefois confiance aux professionnels à qui le juge avait confié sa fille. Plusieurs fois par semaine nous informions les parents de l'évolution de Mélanie.

Un service de soins affectifs et psychiques intensifs

Pour espérer la voir revenir à la vie, Mélanie au Bois Dormant, la princesse des limbes, aussi blanche que la neige, nécessite des soins affectifs et psychiques intensifs.

Face à cette léthargie, toute l'équipe de la pouponnière se mobilise. Chaque intervention d'une maternante est précédée d'une parole de salutation et d'un temps d'attente avant de la prendre dans les bras par exemple. Mélanie est beaucoup portée contre soi ou en écharpe, collée à la chaleur d'un corps, rassemblée au contact d'une peau. Dans son berceau elle est calée très serrée pour qu'elle ne ressente pas le vide autour d'elle. Lors des biberons, sa maternante la met en face à face pour que Mélanie n'ait pas à faire l'effort de tourner la tête à la recherche d'un regard humain, ce qu'elle ne ferait pas. Dès que Mélanie ouvre les yeux, elle lui chante de petites chansons pour attirer et maintenir son attention. Déjà les bains se déroulent mieux mais Mélanie est toujours enveloppée de langes avant de sortir de l'eau comme le fut Osiris, découpé en morceaux par le méchant Seth, mais rassemblé dans des bandelettes et ramené ainsi à la vie par la déesse Isis. Le linceul est devenu bandelettes et pansement psychique.

Enfin, elle ouvre les yeux, accepte de nouveau la rencontre des regards comme à ses tout premiers jours. Mélanie tourne maintenant la tête quand elle perçoit une voix familière puis dévisage longuement ses maternantes. Elle ébauche même de timides sourires, puis de vrais sourires qui provoquent des hourras de l'équipe, mais en silence pour ne pas l'effrayer.

Sortie du coma affectif

Mélanie a 6 semaines. L'infirmière qui devait lui donner son biberon est retardée par une autre enfant et elle s'affaire non loin de Mélanie. Soudain elle entend comme un pépiement de roitelet dont elle n'identifie pas l'émetteur, puis un petit pleur très discret qui prend peu à peu de l'ampleur : Mélanie réclame enfin qu'on s'occupe d'elle !

Mélanie se manifeste donc parfois mais il faut souffler sur cette braise, alimenter cette petite flamme et prendre bien soin de répondre juste et à chaque fois à ses appels. Ceci exige une grande cohérence dans sa prise en charge de la part de ses maternantes, jour après jour, avec constance, ce qui n'est pas simple à gérer avec la responsabilité des six petits enfants de ce groupe de vie.

Mélanie ouvre désormais ses yeux sur le monde qui l'entoure. Elle regarde maintenant le spectacle des autres enfants qui bougent, qui jouent, qui parlent, qui crient.

À la visite, la maman, qui a accepté de ne plus la prendre dans ses bras, reste à distance, situation qui l'oblige, en raison de l'espace physique qui les sépare, à observer sa fille et à lui parler. Elle s'étonne de croiser son regard et de l'entendre jaser. Elle voit alors Mélanie tenter quelques petits sourires, très fugaces, presque des rictus de convention. Mais pour la première fois, cette mère exprime un sentiment de fierté devant l'expression de sa fille. La distance psychique s'est amoindrie.

Mais l'envie d'exister de Mélanie reste fragile, dès qu'une situation l'incommode elle se réfugie encore dans le sommeil. Et si personne n'est disponible pour être avec elle au moment où elle émerge des profondeurs elle y replonge aussitôt.

La solution : investir dans du très haut débit ?

3 – NE PRENEZ SURTOUT PAS LA PRINCESSE DES LIMBES POUR UNE ATTARDÉE

Mélanie fait la rencontre d'Esther

En raison de cette léthargie persistante, bien qu'elle eût fait des progrès notables, nous fîmes le choix de confier Mélanie à une famille d'accueil du service, pour lui offrir une connexion affective de très haut débit, sans risque de rupture de charge, vingt-quatre heures sur vingt-quatre, sept jours sur sept.

À 3 mois et demi, Mélanie fait la rencontre d'Esther. La première approche est compliquée. Mélanie dévisage Esther mais elle n'exprime elle-même que lassitude et lourdeur, les traits de son visage tombent. Les joues, les lèvres, les paupières, le front, tout est flasque. Elle lui adresse néanmoins un timide sourire.

Esther nous raconte que lorsqu'elle s'est autorisée à prendre Mélanie dans ses bras elle a ressenti un bébé mou comme un gros pâton de guimauve brûlante et molle que les confiseurs de foire s'amusent à soulever au-dessus de leur chaudron et à voir s'allonger sous son propre poids, avec une lenteur inexorable. Aucune tenue musculaire. Son petit corps reposait passivement dans les bras offerts mais ce qui en dépassait s'écoulait lentement et semblait vouloir s'étirer jusqu'au sol. Elle ne retenait pas ses jambes, ni son bassin, ni son dos, qu'elle laissait choir et s'épandre lentement dans le vide. Un bébé qui ne se tenait pas et dont il fallait bien s'assurer de ramasser tous les morceaux étirés.

Esther est obligée de réveiller Mélanie pour qu'elle prenne son lait, elle ne le réclame jamais. Elle n'a pas d'appétit. Le temps aussi s'écoule à l'infini. C'était une véritable épreuve que de lui faire boire un simple biberon, rarement terminé. Elle se laisserait mourir de faim sans présenter aucune revendication. Esther a remarqué qu'en enroulant Mélanie en position fœtale, en la rassemblant ainsi contre elle, ce qui est très inconfortable d'un seul bras, tenant le biberon de son autre main, elle tète mieux. À la fin, Esther est trempée de sueur, tant elle cherche par tous les moyens à garder Mélanie éveillée.

Mais si Mélanie ne manifeste aucun appétit, elle se montre vite avide de contact, dévisageant Esther avec beaucoup d'intensité. Elle laisse aussi transparaître son attention aux moindres bruits de l'environnement et à tous les mouvements des habitants de la maisonnée. Bientôt les sourires se multiplient, adressés à chacun des membres de la famille.

Mélanie reste toujours passive dans son berceau mais peu à peu au moment du change, fixant Esther du regard, elle lui sourit et se met à gazouiller. Bientôt elle attrape ses pieds pour suçoter ses orteils. Un effort musculaire intense – essayez donc d'en faire autant ! C'est en regardant Esther, en lui adressant son babil, qu'elle produit ses exploits sportifs.

Le bébé s'agrippe au regard qui le porte

Maintenant, quand Esther veut la prendre, alors qu'auparavant Mélanie se laissait couler comme de la guimauve molle, elle relève ses jambes comme un bébé koala et tient alors sa tête bien plantée sur un dos solide en fixant Esther des yeux. C'est ce regard adressé à Esther, et reçu cinq sur cinq, qui transmute Mélanie de chose invertébrée en petit être humain tonique.

La « bonne-adresse » ou la « mal-adresse » sont des histoires d'adressage, une bonne connexion de l'émetteur vers un bon récepteur, et non de dressage ou de rééducation.

Il faut avoir ressenti dans ses bras l'état de mollesse ou d'extrême tension de ces bébés déconnectés et perdus pour comprendre par contraste comment dès les premiers jours un nouveau-né en bonne santé psychique fait déjà des efforts physiques importants pour s'adapter et s'accorder au corps qui le porte et faire corps avec lui.

Lorsque vous prenez un bébé dans vos bras, il ne dispose que de son tronc, de son dos, de son bassin et de la racine de ses membres pour se coller à vous. Lorsque vous dites qu'un bébé s'abandonne dans vos bras, c'est en réalité une attitude active de sa part qui vous donne le sentiment qu'il s'y repose et l'illusion qu'il ne fait rien pour cela. Un bébé porté dans les bras ou contre soi n'est pas passif, bien au contraire. Il adhère à vous par sa propre pesanteur, c'est un geste intentionnel de sa part.

Ce n'est pas parce qu'un bébé n'est pas en capacité de tenir plus de quelques secondes sa tête relevée, qu'il ne sait pas se détendre un peu par-ci, tout en se contractant un peu par-là, pour faire corps avec la personne qui le soutient, ce qui exige de lui un engagement physique total. Certes vous le tenez, vous le soutenez, vous le retenez, mais s'il vous semble si léger à porter, c'est parce qu'il tient à vous comme la bernique à son rocher. Un bébé se colle à vous en usant de sa pesanteur et de sa compacité élastique car il modèle sa musculature aux formes de votre corps.

Il s'installe, se love, se serre, s'appuie, se repose, se juche, se loge, se place, s'ancre, se niche, se bloque entre les creux et les bosses, entre le ferme et le mou de votre corps pour mieux y adhérer. Une position confortable de votre fait et assurée de sa part, c'est-à-dire une adaptation réciproque, libère alors ses bras et ses jambes des tensions parasites, ce qui lui permet de les utiliser pour explorer de sa main, votre bouche, votre nez, vos yeux, vos lunettes, vos cheveux, un collier, des boucles d'oreille tout en tâtant du pied un genou, un rebord de table, un accoudoir de fauteuil, c'est-à-dire son environnement très immédiat. Ses bras, ses mains, ses jambes et ses pieds ne lui sont d'aucune utilité pour se tenir à vous mais traduisent par leur détente ou leur raideur son niveau de sécurité ou d'insécurité. Il suffit qu'il pleure pour que soudain cet accordage s'évanouisse tandis que des tensions apparaissent et rendent son portage plus compliqué. C'est l'adulte qui doit alors faire un effort pour s'y adapter. « Je ne sais plus par quel bout le prendre » dites-vous alors. Les parents attentifs ressentent ces choses de façon intuitive et perçoivent immédiatement en prenant leur bébé dans leurs bras son niveau de bien-être ou de malaise intérieur et s'y adaptent. C'est leur mémoire de bébé, une mémoire du corps d'avant les mots, qui s'exprime à leur insu. C'est pourquoi devant certaines émotions qui nous surprennent nous n'avons pas les mots, car c'est notre corps qui se souvient et qui s'exprime. À notre esprit défendant, des émois archaïques nous traversent parfois dans ces circonstances très particulières, propres à chacun. Un vieil ami me disait, étonné d'observer ces expressions autonomes de son propre corps, dans l'angoisse qui l'étreignait face à sa petite fille très malade, en grand danger : « La nuit, des larmes coulent de mes yeux et je sens ma gorge se serrer mais aucun mot ne se présente. Je sens simplement mon corps qui pleure et ma gorge qui me serre. »

Un nouveau-né en bonne santé psychique s'abandonne avec justesse dans des bras aimants. Au contraire, les bébés perdus, en situation de déconnexion affective, ne savent pas comment se mettre et sont, soit tout mous, soit tout raides, soit toujours en mouvement mais jamais accordés au corps qui les porte. Ils sont durs comme des bâtons, fuyants comme des savonnettes, lourds comme des sacs de son ou vous échappent comme de lents vermisseaux en donnant toujours l'impression qu'ils vont vous glisser des mains et se décrocher de vous parce qu'ils n'ont pas appris à utiliser les aspérités du corps de l'autre pour s'y poser et s'y coller.

Sans lien affectif de qualité, pas d'accordage possible.

Mélanie mène des expériences sur la qualité et la stabilité affective de son entourage

Maintenant Mélanie laisse libre cours à son affection pour son assistante maternelle. Elle attrape le visage d'Esther à deux mains, se frotte le nez contre le sien et va se blottir dans son cou en frétillant. Le soir, notre grande dormeuse ne veut plus se coucher. Elle a remarqué que c'était le moment où Esther était moins accaparée par les tâches du quotidien. Elle est alors pétillante et jargonne joliment si Esther s'en occupe. Mais sitôt mise dans son berceau la voilà qui crie, pleure et tempête. Esther revient. Ce ne sont que sourires, excitation et grandes conversations. Esther est admirative : « Elle est trop marrante, elle gazouille des petites phrases sonores, très modulées. » Esther la recouche et ça recommence. Esther, épuisée, finit par la sermonner gentiment. Mélanie a la gratitude de l'écouter et s'endort enfin. Mais plus tard il lui arrive de réveiller Esther à nouveau. Quand celle-ci arrive, Mélanie ne pleure plus, bien au contraire, elle est en pleine forme. Chipie. Mélanie découvre ce pouvoir jubilatoire de faire apparaître le visage d'Esther à tout moment du jour et de la nuit, dès qu'elle en a l'envie. Elle devient créatrice du monde.

Les stratégies défensives de Mélanie

L'état de léthargie et la mollesse de Mélanie avaient été si impressionnants et si difficiles à expliquer que des explorations médicales furent aussitôt programmées à la recherche d'une maladie explicative, en parallèle aux soins affectifs et psychiques intensifs. Présente-t-elle une déficience intellectuelle ? A-t-elle un problème au cerveau ? Est-ce qu'une maladie ralentit son éveil ? Est-ce l'expression d'une anomalie génétique ? Plusieurs hypothèses avaient été envisagées devant l'engourdissement de son éveil observé les premières semaines. Les différentes consultations spécialisées ne révélèrent aucune maladie, fort heureusement, mais permirent au contraire de faire le constat d'une récupération régulière de son développement au point qu'à 6 mois Mélanie montrait un développement quasi normal et une appétence relationnelle rassurante, ce qui correspondait à la progression observée jour après jour.

Mais les circonstances particulières de ces rendez-vous au centre hospitalier universitaire furent exploités par son père et sa mère – ils y étaient bien sûr associés – qui en profitèrent pour s'affirmer dans leur rôle de parents en revendiquant de présenter eux-mêmes Mélanie, dans leurs bras, aux consultants. Ceci eut un effet très inattendu qui conforta nos observations sur les connexions affectives sélectives chez les bébés.

Mélanie, 6 mois, est donc accompagnée en consultation auprès de la neuropédiatre. Dans la salle d'attente, l'assistante familiale confie Mélanie à son père qui en a fait la demande. Mélanie regarde un peu son père, sans sourire, puis se met à chouiner, à se tortiller tout en se tournant vers Esther. Le père se lève et marche pour tenter de la calmer et de l'éloigner de cet aimant. La manœuvre ne fonctionne pas. Mélanie paraît soudain vraiment en détresse. Elle se raccroche alors à son pouce qu'elle se met à téter nerveusement. Cela ne l'apaise pas, elle rejette son pouce et prend celui de son autre main. Elle est insatisfaite et ne parvient pas à se rassurer. La mère qui observe la scène veut alors s'en mêler et fait signe qu'elle va la prendre. Elle s'assoit avec Mélanie non pas posée sur ses genoux mais portée assez droit sur sa poitrine dans une position aussi inconfortable pour elle que pour sa fille. La puéricultrice lui propose de la réinstaller plus à l'aise, mais la mère refuse. Mélanie s'endort dans cette position en équilibre bizarre, bientôt rompu par le père qui la reprend. Mélanie a abandonné, elle ne lutte plus, elle ne se plaint plus. En apparence elle s'est endormie.

Tout le monde entre dans le cabinet de consultation. Le médecin aperçoit un petit bébé fragile qui dort à poings fermés dans les bras de son père. Cette pédiatre spécialiste du cerveau prend connaissance des circonstances de sa naissance et de sa courte vie. Elle commence à se demander comment elle pourra évaluer quoi que ce soit de l'éveil de ce bébé dont le sommeil est si lourd. Les bruits inhabituels de ce lieu étranger, les voix inconnues, les odeurs hospitalières ne la troublent pas. La mère répond tant bien que mal aux questions du médecin. Mélanie n'a pas bronché et n'a pas ouvert un œil.

Les questions se tarissent, il va falloir passer aux choses sérieuses, l'examen neurologique, les réflexes du nourrisson, et l'évaluation de son éveil, c'est-à-dire, à cet âge, la qualité du contact et de la communication. Ce qui suppose un bébé réveillé et coopérant. Ça n'est pas gagné.

Le docteur demande au père de lui confier l'enfant pour la déposer sur la table d'examen. Mélanie, sur le dos, toujours endormie, n'a pas bronché. Aucun petit gémissement, pas de mimique, pas le moindre rictus, son visage est toujours aussi lisse et inexpressif, ses yeux fermés. Le médecin s'adresse enfin à Mélanie. Elle se présente, s'excuse de devoir la réveiller, lui explique qu'elle va l'examiner. Mélanie ouvre alors les yeux, lui sourit et se met aussitôt à faire des vocalises. La spécialiste est toute surprise : « Mais tu ne me connais pas. Tu t'es réveillée et tu me parles ! Tu sais que tu es toute mignonne. » Durant les vingt minutes de l'examen, ce qui est très long à cet âge, Mélanie restera attentive, disponible et à l'écoute.

Esther et la puéricultrice du service sont tout étonnées des compétences que démontre aujourd'hui Mélanie dans les circonstances aussi inhabituelles que cet examen médical, face à un médecin qu'elle ne connaît pas. Elle se présente comme une petite fille de son âge, avec juste un très léger retard en cours de rattrapage, et qui n'a plus rien à voir avec ce qu'avait laissé craindre cette enfant lorsqu'elle ne faisait que dormir dans les bras de ses parents au point de faire suspecter une malformation cérébrale ou une hypothyroïdie par exemple. Quand son assistante maternelle la rhabille, Mélanie continue à sourire et à gesticuler doucement en jasant. Au sortir de l'hôpital, elle ne se rendormira pas dans la voiture.

La spécialiste du cerveau nous adressa ce courrier : « Lors de la consultation, j'ai pu constater la capacité de Mélanie à se mettre dans une inhibition totale, d'entrer dans un profond sommeil dès qu'elle était dans les bras de ses parents, alors que dès qu'elle change de bras elle s'anime et montre des compétences développementales normales pour l'âge. »

À 8 mois, lors d'une consultation auprès du professeur de génétique appelé à la rescousse pour évaluer le risque d'une maladie au nom imprononçable, Mélanie va reproduire la même scène d'un sommeil clignotant selon qui s'occupe d'elle. La puéricultrice attend les parents dans la salle d'attente avec Mélanie sur les genoux. Elle est éveillée, jase et sourit. Ses parents arrivent. Son père demande à prendre sa fille. Dans ses bras, Mélanie montre très vite des signes d'insatisfaction, se tortille, se frotte les yeux et se pend à son pouce. En entrant dans la salle de consultation, c'est sa mère qui la porte, Mélanie ne jase plus, ne sourit plus, elle geint et s'accroche toujours à son pouce le temps de l'entretien. Lorsque le professeur l'examine, Mélanie change d'humeur, s'ouvre et devient disponible, à l'écoute.

Lorsque le père la reprend dans l'attente d'une prise de sang, Mélanie s'endort aussitôt. Son père la dépose sur la table de soins et Mélanie s'éveille immédiatement lorsque l'infirmière se présente. La petite fille lui fait des sourires et jase. Elle ne se rendormira pas pendant le voyage du retour.

Mélanie la hackeuse

Lors des visites parentales à la pouponnière, Mélanie accepte maintenant quelques contacts visuels et de courts échanges verbaux auxquels elle répond parfois par quelques lallations. Mais dès qu'un de ses parents s'approche ou montre l'intention de la prendre, Mélanie s'accroche du regard au professionnel présent à ses côtés, puis s'agite et chouine si le parent insiste. Si l'un d'entre eux se montre trop envahissant, en vient quand même à la prendre dans ses bras ou encore si la rencontre dure au-delà d'un quart d'heure, Mélanie ferme les yeux ou peut encore s'endormir pour se réveiller comme d'un enchantement à la simple annonce de la fin de la visite. Elle retrouve immédiatement son allant et sa vitalité dans les bras de son assistante familiale.

Les visites parentales restent difficiles à vivre pour Mélanie. Leur déroulement s'avère imprévisible, au gré de l'humeur de ses parents. Mélanie assise dans son transat ou allongée au sol accepte de les regarder, et essaie parfois de leur sourire. Un jour, sa mère s'énerve, fâchée pour un détail, tandis qu'elle porte Mélanie, ce qu'elle réclame à chaque fois. Elle en oublie qu'elle a un bébé dans les bras, s'agite, hausse le ton, fait des gestes brusques, Mélanie se trouve alors prise dans un orage, subit des trous d'air, est assourdie par le tonnerre et se voit ballottée sans ménagement. À partir de ce jour, Mélanie devint plus méfiante lors des visites. Lorsque Mélanie arrive dans la salle d'attente avant la rencontre, elle est sur le qui-vive. Elle se tord le cou pour surveiller la porte par où entrent ses parents dès qu'elle entend des pas dans l'escalier. Elle est aussi devenue très sensible à toutes les paroles un peu fortes et regarde alors Esther avec intensité jusqu'à ce qu'elle ait été rassurée par quelques signaux d'apaisement.

Pour faire face à cette situation d'insécurité, Mélanie s'est trouvée contrainte d'exercer une hypervigilance défensive et a développé des stratégies stupéfiantes. La princesse des limbes n'est pas une attardée. Bien au contraire, elle a montré du génie dans ces circonstances difficiles.

Mélanie a exactement 6 mois et 3 semaines. À la visite, son père, toujours fâché de voir sa fille s'accrocher au regard du professionnel présent, que Mélanie le connaisse ou non, chercha à l'isoler. Comme dans la salle d'attente de l'hôpital il tenta de couper Mélanie de cette aimantation. Mais la petite princesse a grandi. Elle ne va plus retomber dans le même mal-être qu'elle avait manifesté en la circonstance, lorsqu'elle s'était évertuée à sucer nerveusement ses pouces sans réussir à s'apaiser.

Ce jour-là, tournant le dos de façon délibérée à Diane qui encadre la rencontre, le père porte Mélanie assez bas contre lui, la petite tête contre son thorax. Il utilise son propre corps comme un paravent et sa fille se trouve empêchée de regarder Diane par-dessus son épaule. C'est un soir d'hiver et de pluie, les volets de la salle sont fermés. Mélanie repère le reflet du visage de Diane sur la vitre, devenue miroir du fait de l'obscurité extérieure. Diane remarque soudain que Mélanie la fixe dans la fenêtre. Mélanie a découvert le piratage des connexions affectives. Elles échangent leurs regards et leurs fichiers en douce grâce à cette interface[7]. À la réflexion, Diane pense que Mélanie a déjà dû avoir recours à ce stratagème depuis deux ou trois semaines mais qu'elle-même ne l'a remarqué aussi nettement qu'aujourd'hui. Mélanie, en vraie hackeuse des écrans, a retourné à son avantage le sortilège mortifère du miroir du conte de Blanche-Neige. « Miroir ! Miroir !... »

L'histoire de Mélanie est typique du phénomène des connexions affectives sélectives des bébés, de cette capacité innée qu'ils ont de savoir se protéger d'interactions inadaptées, d'une part, et de cette compétence pour rechercher avec pertinence un support affectif de qualité, d'autre part. Encore faut-il qu'il y ait des adultes disponibles et sensibles aux signaux ténus qu'adresse un bébé, qu'ils acceptent d'y répondre et qu'ils fassent le choix raisonné d'occuper cette place inconfortable.

---

7. Il ne s'agit bien évidemment pas là de ce qu'on appelle en psychologie « le stade du miroir » si bien décrit par Henri Wallon et recyclé par Jacques Lacan. Diane voit Mélanie, Mélanie voit Diane mais aucune d'elles ne perçoit sa propre image et encore moins ensemble sur ce psyché improvisé. D'ailleurs Mélanie ne reconnaît pas encore sa propre image. C'est l'image perceptible de l'autre à laquelle elle s'attache.

La princesse Mélanie accorde audience

C'est le jour de la fête du départ en retraite de notre chef de service. Un moment intense où ressurgissent tant de souvenirs partagés, certains légers, d'autres durs mais tous riches, par la magie du labeur bien fait, où le seul étalon de référence fut le bien de l'enfant et le seul objectif celui de la cohérence du travail d'équipe. Un moment émouvant.

Esther est venue avec Mélanie qui aura bientôt 9 mois. Il y a beaucoup de monde et d'agitation autour d'elles. Mélanie reste bien en sécurité dans les bras de son assistante maternelle.

Maintenant que Mélanie a appris à se tenir contre Esther, à s'appuyer sur Esther, elle sait occuper cette position, comme si c'était une place forte, gagnée de haute lutte, et qu'enfin elle y régnait. De ce donjon sécurisé, la main posée sur le bras d'Esther, geste tout à la fois de possession et de réassurance – trois petits doigts serrent par sécurité l'étoffe de la manche –, elle vous toise alors du regard, vous mesure, vous examine. Mais avant qu'elle veuille vous décocher un sourire, qui n'est pas instantané, il faut savoir se présenter avec humilité, décliner son identité, sa fonction, expliquer le pourquoi de votre intérêt pour elle, le sens de votre démarche, et alors, bonne princesse, Mélanie vous accordera audience. Courte. Elle connaît la place qui est la sienne dans le monde. Précieuse.

Elle m'a fait cette grâce.

Cet exemple, et ceux qui suivront, nous dévoile une réalité observable et universelle mais encore méconnue : dès les premiers instants de sa vie extra-utérine, le bébé scanne son environnement à la recherche de la personne la plus sécurisante pour lui. Le bébé dispose d'un radar affectif interne et se connecte à la meilleure borne psychique à sa disposition, c'est-à-dire à la personne – adulte ou enfant – la plus disponible pour répondre à ses besoins et pour métaboliser ses émotions, et ce, sans se soucier des méandres de la filiation ou de la réalité biologique.

Il oriente ses choix affectifs en fonction de la qualité des réponses obtenues sans attendre d'avoir appris à lire un livret de famille. Il y va au feeling, au plus vite et au plus court.

C'est une conclusion déroutante, difficile à croire, j'en conviens. Elle va à l'encontre de tout ce qui se raconte sur les bébés – qu'un enfant ne peut dépendre que de sa mère ou qu'un nourrisson n'est qu'un être végétatif – mais qui devient une évidence dès qu'on accepte d'ouvrir les yeux. Si une mère est dans la disposition psychique de répondre aux messages émis par son nouveau-né, celui-ci se tournera bien sûr vers elle. Mais si elle n'est pas disponible pour lui, le bébé fera d'autres choix ou se laissera mourir.

Le bébé est dépourvu d'appareil psychique et doit pour sa sécurité et sa propre conservation se loger dans un cerveau disponible comme un petit marsupial. C'est une question de vie ou de mort, de survie physique et psychique. Il utilise votre intelligence du monde le temps d'apprendre à se débrouiller seul. C'est une location temporaire de cerveau. Bonne disponibilité exigée, connexion haut débit indispensable.

4 – FIONA, UN MOIS ET DEMI

Bébé vous a piraté le cerveau

Si l'autonomie physiologique d'un bébé n'est déjà pas bien longue, deux, trois, quatre heures maximum entre les arrêts ravitaillement au stand, son autonomie psychique est en revanche beaucoup plus faible. Il n'a pas besoin de votre présence concrète en permanence mais vous devez pouvoir lui répondre à tout instant. Vous êtes assis sur le strapontin dans l'antichambre à l'attendre. Il n'y a pas de parents à temps partiel. Bébé a besoin d'expérimenter l'excellence et l'efficacité de la sollicitude de son entourage. Il la teste sur votre disponibilité à vous manifester et à répondre à ses moindres besoins quelles que soient les circonstances. Vous êtes en alerte et vous pensez très souvent à lui. Vous réagissez avant même qu'il en ait besoin. « Chut ! J'ai cru l'entendre geindre dans son sommeil. Tu crois qu'il faut que j'aille vérifier s'il dort ? » Même après des semaines de nuits hachées, épuisés par des horaires de tétées erratiques, vous sortez votre périscope des abysses d'un sommeil qui avait atteint la profondeur d'une d'anesthésie générale avant même que votre bébé réclame. Quand bébé fait enfin ses nuits, vous vous réveillez encore à l'heure habituelle de son appel tandis que lui dort du sommeil des bienheureux. Parce qu'il sait que vous êtes là. Il vous a parasité, il s'en trouve très bien et c'est ce qui le sauve de tout. Vous n'avez aucun effort à fournir pour atteindre cet état quasi maladif que Winnicott appelait « la préoccupation maternelle primaire ». Bébé s'en est chargé pour vous. Il s'est installé dans votre cerveau et vous ne pouvez plus l'en déloger. C'est lui qui s'est connecté et il vous est devenu impossible de l'oublier. Pour bébé c'est une garantie de sécurité extraordinaire. Il n'a plus besoin de se soucier de quoi que ce soit, c'est vous qui le faites pour lui. Il a découvert les facilités et les avantages de la sous-traitance : tous les bénéfices, sans aucun risque. Il n'est plus en alerte, vous l'êtes pour lui.

Fiona, si jeune, déjà découragée du commerce de ses semblables

Fiona n'a pas eu cette chance à son départ dans la vie. Sa mère, une jeune schizophrène en rupture de soins avait refusé dès le début de sa grossesse de reprendre contact avec l'équipe hospitalière qui la suivait auparavant et s'opposait à toute prise en charge thérapeutique ou médicamenteuse. Dès lors l'état psychique de la jeune femme s'était fortement dégradé et son adaptation à la réalité était devenue aléatoire.

Les premières relations de cette maman avec son bébé furent très chaotiques. Elle avait certes manifesté un véritable intérêt pour son enfant mais elle pouvait aussi se déconnecter très vite lorsqu'elle était aux prises avec des préoccupations inattendues et subites qui la rendaient alors tout à fait indisponible pour sa fille. Le service de la maternité, soucieux de cette attention maternelle à géométrie variable, au gré des évolutions capricieuses de son état psychique, l'avait gardée plus d'une dizaine de jours en observation avant de la laisser repartir dans une structure d'accueil mère-enfant. Il lui avait été conseillé des lectures sur la façon de s'occuper d'un bébé. Intention louable mais naïve car le savoir-faire pour répondre aux besoins d'un bébé ne s'apprend pas dans les livres. Winnicott écrivait[8] : « Une mère doit puiser ses connaissances au plus profond d'elle-même, sans forcément faire appel à la forme d'intelligence qui utilise les mots. L'essentiel de ce que fait une mère avec son bébé ne passe pas par les mots. Cela est évident quoiqu'on ait tendance à l'oublier. » La richesse de la rencontre et la qualité de la relation affective avec un bébé dépendent beaucoup plus d'une disposition de l'esprit que d'un savoir. Elles font appel à des expériences et à des émotions si primitives que notre mémoire consciente, basée sur les images et les mots, n'en a gardé aucune trace.

La mère de Fiona était donc une maman à éclipses qui pouvait se détourner d'un instant à l'autre de sa fille si les professionnels de la structure ne l'aidaient pas à se remettre sur la même orbite que son bébé.

Parfois prise d'une impulsion inopinée elle faisait appel à sa voisine pour lui confier Fiona et aller vivre sa vie. À ces moments-là, elle ne tenait plus aucun compte de son bébé. De ce fait Fiona fut gravement déstabilisée par la désorganisation croissante de sa prise en charge quotidienne. Elle pleura beaucoup, perdit du poids, ses yeux se cernèrent et elle fut envahie d'une fatigue extrême.

Confrontée à certaines complications sentimentales la maman décida du jour au lendemain de quitter le centre d'accueil avec Fiona, sans destination claire et rassurante. Cette décision se révéla inquiétante du fait de l'absence de toute anticipation des besoins du bébé. La maman, exaltée et

---

8. WINNICOTT (Donald W.), *Le Bébé et sa mère*, Paris, Payot & Rivages, coll. « Science de l'homme », 1992, *loc. cit.*, p. 92.

4 – Fiona, un mois et demi

logorrhéique, emportée par son sentiment amoureux, refusait d'entendre raison sur l'attention et la considération à porter à l'entretien d'une si jeune enfant. « Elle me suivra partout, je suis sa mère. »

C'est ce qui alerta les travailleurs sociaux. Un bébé ne pouvant être laissé dans une situation aussi imprévisible qu'hasardeuse, le procureur, saisi en urgence de cette situation de danger imminent, ordonna le placement immédiat de Fiona à la pouponnière.

Fiona n'était alors âgée que de 6 semaines.

Fiona arrive chez Monique

Diane, la puéricultrice du service avait pu converser avec la maman en présence de son bébé. La maman avait accepté de confier Fiona avec des objets personnels, son landau en particulier, pour éviter qu'elle ne se sentît trop perdue.

Diane accompagna Fiona chez Monique, une assistante maternelle du service. Fiona était une toute petite puce qui leur sembla très fragile, très souffrante et en grande insécurité. Fiona était très fatiguée. Elle prit son premier biberon dans les bras de Monique. Monique la coucha ensuite dans son landau qu'elle connaissait mais dans une chambre qu'elle ne connaissait pas. Fiona pleura, s'agita, s'énerva et parut très en détresse dans ce lieu nouveau et se trouvant confiée à des personnes inconnues. Fiona n'avait à cet instant aucun repère pour appréhender la différence entre ces nouvelles dispositions qui visaient à lui assurer une meilleure stabilité et les modes de garde impromptus et erratiques dont la maman était coutumière.

Fiona ne se calma pas. Monique la reprit dans ses bras. Fiona ne parvint pas à s'y rassurer. Elle s'y tenait très raide puis se tournait et se tordait. Elle était inconsolable.

Alors Diane lui parle. Fiona, entre deux sanglots, entend sa voix, tourne sa tête, la regarde puis l'écoute :

« Fiona, tu es ici avec Monique qui va s'occuper de toi. Des fois tu avais peur avec maman, qui était trop malade pour s'occuper d'un bébé et qui ne savait plus comment te soutenir, et te porter, et te réconforter. Tu as aussi certainement eu peur de tomber de ses bras. Mais là Monique te tient bien, tu ne tomberas pas. Et puis Monique, le temps que tu seras chez elle, sera toujours là pour toi. Elle ne disparaîtra pas. Tu peux lui faire confiance, elle restera près de toi.

Tu t'inquiètes aussi pour maman, de savoir qui va s'occuper d'elle. Elle ne sera pas seule, des grandes personnes vont l'aider. Et il faut que ta maman se soigne.

Tu peux dormir en paix, ici, chez Monique. La semaine prochaine, tu reverras ta maman. J'espère qu'elle ira mieux. »

Monique entend Diane parler et sent Fiona contre elle qui se détend petit à petit. C'est comme si les paroles de Diane imprégnaient doucement tout l'intérieur de Fiona. Elle se love contre Monique, son corps s'assouplit. Elle finit par poser sa tête dans son cou. De nouveau, un court instant, elle lutte, un sanglot, mais Diane lui parle encore et elle s'endort.

Monique n'en revient pas d'avoir senti Fiona se rassurer aussi vite en entendant Diane lui parler alors qu'elle la connaît si peu.

Réapprentissage difficile du contact avec les humains

Néanmoins auprès de Monique les débuts furent difficiles.

Sitôt réveillée, Fiona évite le regard de Monique, preuve s'il en était qu'un bébé qui perd confiance en son parent peut aussi très vite en arriver à se défier des autres humains.

Les jours suivants, en place de chercher les yeux de Monique, Fiona fixe une vague tache au plafond ou laisse fuir son regard vers le côté. Fiona est hypervigilante, sur le qui-vive, inquiète au moindre bruit et scrute sans répit tout ce qui se passe autour d'elle. Son sommeil est très fragile, elle se réveille au plus léger grincement ou lorsqu'elle perçoit une voix inconnue. Son visage est souvent traversé d'une expression soucieuse, elle serre alors ses paupières et contracte la houppe de son menton. Mais elle ne pleure pas, ce que ferait un bébé « ordinaire » dans semblable situation. Elle donne le sentiment d'être très attentive à son environnement tout en essayant de se faire oublier. Elle peut passer de très longs moments à regarder passive et sans expression le vide autour d'elle.

Quand Monique la prend, avec précaution et de douces paroles, Fiona est comme un vrai bout de bois. Au lieu de poser son chef sur l'épaule de Monique elle se cambre et rejette sa tête en arrière.

Fiona évite le regard des humains et fuit le contact physique. Six semaines ont suffi pour la décourager du commerce de ses semblables.

Mais en quatre jours la situation va changer du tout au tout.

Durant ces quatre jours cette toute petite puce va reprendre d'un coup 10 % de son poids[9]. Puis petit à petit commencer à accorder

---

9. Les croyances habituelles du public, mais aussi de la grande majorité des professionnels de l'enfance, sur les effets négatifs d'une séparation précoce d'un bébé d'avec des parents inadaptés à le prendre en charge sont tenaces. Elles préjugent généralement de l'impossibilité pour un bébé de survivre sans sa mère et de sa grande souffrance s'il devait en être séparé. Pourtant, quand l'environnement affectif proposé est de qualité, en pouponnière ou en famille d'accueil, les bébés tirent au contraire profit de leur placement. Dans notre pouponnière la preuve le plus marquante de cet effet bénéfique est que si la moitié des bébés sont admis avec un retard de croissance du poids et de la taille, on observe pour la moitié de ceux-là une reprise rapide de leur croissance. Ceci du simple fait d'une amélioration de leurs conditions affectives et psychiques.

sa confiance à Monique. Elle accepte maintenant de croiser son regard ce qui ne l'empêche pas de fixer encore le plafond à d'autres moments. Lors du biberon, elle se détend et peut agripper un doigt offert. Quand tout est calme, elle parvient à se laisser aller et à s'abandonner dans les bras de son assistante maternelle.

Au réveil tout est à recommencer. Fiona révulse ses yeux en arrière et Monique doit lui parler doucement avant qu'elle revienne se connecter. Elle reste aux aguets, angoissée de tout.

Monique s'est aperçue que la mettre dans un petit transat à un endroit qui lui permette d'observer l'environnement et de ne plus être surprise pas des événements dont elle ne pourrait surveiller le déroulement, la rassure. Elle y manifeste néanmoins encore beaucoup de tension à la moindre nouveauté. Tout ceci témoigne de la vie agitée qui avait été la sienne jusque-là : un quotidien chaotique, sans aucune sécurité, et le manque de disponibilité psychique de sa mère qui n'avait pas toujours la tête à penser à sa fille.

Les jours suivants, Fiona se rassérène petit à petit, accepte mieux le regard, sourit, jase. Désormais elle s'anime tout soudain quand elle voit apparaître Monique dans son champ de vision. Elle mange bien et continue à prendre du poids.

Fiona panique en retrouvant sa mère

La maman fut autorisée par le juge à venir voir Fiona.

Première visite

Lors de cette rencontre la petite, qui allait jusque-là de mieux en mieux, laissa transparaître une grande angoisse, une très forte vigilance défensive et une intense recherche de réassurance auprès des professionnelles qui accompagnaient la visite : Diane, qui l'a accueillie, et Lucile, notre psychologue, qu'elle rencontrait pour la première fois.

La maman se jette sur Fiona sans lui laisser le temps de la reconnaître. Elle oublie de lui parler, de lui dire bonjour. Lucile tente de freiner cet emportement et l'invite à patienter, à commencer par saluer son bébé. Mais elle se précipite et arrache Fiona des bras de la puéricultrice non sans une certaine rudesse du fait de sa hâte.

Fiona se raidit dans ses bras et sa tête part en arrière. Tout son corps est tendu comme un arc, orteils compris. Sa mère cherche à lui faire un bisou, Fiona sursaute, ferme ses yeux et se tord à nouveau en tournant son chef.

Fiona panique, ses yeux balayent des points d'accrochage lumineux, fenêtre, plafond, en tournant délibérément sa tête pour échapper au regard de sa maman. Forcée de regarder, elle ne fixe pas les yeux de sa mère mais la marge de ses cheveux. Bientôt Fiona repère à les entendre que Diane et Lucile sont encore présentes dans la pièce. Dès lors elle n'aura de cesse d'essayer d'agripper leurs regards ou de se tourner vers leurs voix, ce qui la sécurise quelque peu. Ce désarrimage affectif entre Fiona et sa mère se manifeste aussi par des attitudes désajustées des corps. Imperceptiblement Fiona glisse des bras de sa mère. Il devient nécessaire de l'aider à remettre Fiona plus à son aise.

Pour tenter de nourrir ce temps de rencontre, l'heure de la visite a été calée sur le temps du biberon. Il est proposé à la maman de le faire boire à Fiona. Mais là aussi le bébé ne parvient pas à trouver sa place dans les bras de sa mère. Elles doivent se réajuster plusieurs fois sans trouver le bon accordage. Mais c'est trop tard et Fiona ne veut plus finir son biberon. Puis la maman ne parvient pas à lui faire faire son rot. Diane reprend Fiona qui termine alors tranquillement son lait dans ses bras.

La mère la reprend sur ses genoux. Elle lui fait de grandes déclarations d'amour d'une voix désaffectionnée : « Je t'aime, tu es ma chair, tu es mon sang, tu es mon être », mais Fiona manque de glisser par terre. Malgré des conseils dispensés avec délicatesse, la maman, maladroite, a des gestes appuyés, presque brusques envers Fiona pour tenter de la reprendre dans ses bras.

Diane a repris Fiona dans ses bras. Ainsi sécurisée elle adresse à sa mère des sourires, des regards et des lallations. Une certaine distance physique avec sa mère est plus rassurante pour Fiona que trop de proximité corporelle. Installée dans les bras de Diane elle devient capable de communiquer avec sa mère. Étrange phénomène que nous observons très souvent avec certains parents très déroutants pour leur bébé. De loin ça va, de trop près bonjour les dégâts !

À l'instar de Mélanie, Fiona, au cours de cette visite, cherche à prendre de la distance avec sa mère et à trouver de la sécurité auprès de personnes quasiment étrangères à elle. Fiona n'est alors âgée que de 7 semaines.

Les observations de ces visites, les attitudes de la maman, les réactions de Fiona, nous laissèrent songeurs sur la gravité du chaos dans lequel avait vécu ce bébé durant six longues semaines auprès de sa mère. Et combien Fiona s'en souvenait, en souffrait encore et appréhendait de retrouver sa maman. De telles situations sont des urgences pédopsychiatriques impératives et absolues, mais combien d'équipes professionnelles sont-elles formées à ces observations ? Trop peu, trop rares !

Cette visite provoqua une désorganisation psychique durable chez Fiona. Après cette rencontre le comportement de ce très jeune bébé redevint très inquiétant et les progrès acquis chez Monique disparurent plusieurs jours durant avant que Fiona ne repartît de l'avant. Les rencontres suivantes eurent les mêmes conséquences et le mal-être de Fiona empira de visite en visite.

Diane en fut stupéfaite :

« Fiona allait bien chez Monique la semaine passée. Après la visite, c'était tout le contraire. J'ai retrouvé une Fiona translucide, sans aucune épaisseur, indifférente. Elle s'arc-boute même quand Monique lui donne le bain et elle ne nous regarde plus. Si je ne l'avais pas connue avant j'aurais pensé que c'était une petite fille handicapée, raide comme une enfant tétraplégique. »

Un béotien stupéfait d'observer la discrimination affective d'un bébé

Deuxième rencontre parentale

Fiona arrive tranquille et détendue dans les bras de Diane. Elle porte un regard ouvert sur les choses du monde. Leur chemin croise celui du nouveau chef de service administratif qui, sans doute pas trop à son aise au milieu de cette armée de puéricultrices et de tout petits enfants, déclare souvent ne rien comprendre aux bébés. Mais c'est un homme poli et civil, sans doute bien plus compétent qu'il ne l'annonce. La politesse et la civilité sont des qualités essentielles pour communiquer avec les bébés. Certes les bébés sont dépendants, mais nous sommes leurs obligés.

Il ne connaît pas Fiona, et Fiona ne sait pas qui est ce monsieur. Il la croise, il la salue. Fiona n'est qu'un bébé mais il n'y a aucune raison de l'ignorer sous le prétexte supposé d'une condition inférieure inhérente à son très jeune âge. Il lui parle gentiment. Fiona lui répond d'un sourire et cherche à communiquer. Elle lui adresse un regard soutenu agrémenté de quelques petites mimiques. C'est trop rigolo de voir les efforts que fournit Fiona pour capter l'attention d'un autre humain et l'attraction qu'elle parvient à exercer sur celui-là, qui prétend ne rien y connaître en bébé. Communiquer avec un bébé ne nécessite que de lui être disponible, et de lui laisser la totale initiative dans sa stratégie de connexion. C'est lui qui vous fait sujet, sujet d'intérêt, sujet de curiosité, sujet de conversation, sujet de demande, sujet d'affection et d'attachement, sujet tout court.

Notre chef de service, cet homme poli, remarque soudain que Fiona se rétracte sur elle-même et ferme son regard. Elle se tortille, se tasse, semble très mal à son aise. Il ne comprend pas, s'en étonne, s'en ouvre à Diane lorsque la maman se manifeste tout près d'eux. Fiona avait aperçu et reconnu à distance sa mère et appréhendait déjà son contact.

Notre chef de service reviendra plus tard nous dire sa surprise d'avoir observé un tel comportement chez un si jeune bébé. Il n'en revenait pas. Ce chef de service-là est en progrès.

Ce jour-là la maman est envahie par des préoccupations intérieures qu'elle raconte mal à propos en parlant vite et beaucoup, allant d'une chose à l'autre sans lien entre elles, sautant du coq à l'âne. Elle livre ce qui lui passe par la tête sans retenue ni pudeur. C'est difficile de suivre le fil de son discours et impossible d'endiguer son flot. Ses pensées défilent au grand galop mélangeant ses soucis relationnels personnels, l'actualité de cette visite et sa fierté de retrouver sa fille. Elle s'adresse à qui est là, sans faire de différence entre les interlocuteurs. C'est difficile de saisir ce qu'elle veut dire et à qui elle cherche à s'adresser. Elle est incapable d'écouter les professionnelles qui tentent de lui parler. Il est impossible de lui demander de se recentrer sur Fiona. Elle est inaccessible.

Diane pose Fiona dans le landau espérant que la distance rendra le contact plus facile.

Mais pour Fiona tout va mal. Fiona se tord dans son landau et refuse le contact visuel avec sa mère.

Dans ces conditions la visite tourne court.

Conseil de famille

Troisième rencontre parentale

L'état psychique de la maman est plus stable aujourd'hui. Elle pose des questions pertinentes à propos de sa fille. Elle lui parle avec beaucoup d'affection et ses paroles ne sont plus les formules vides et plaquées de la première visite ou le flot ininterrompu de la seconde. Pourtant Fiona va aussitôt manifester des signes de grand malaise à son contact.

Fiona reconnaît sa voix et tourne son regard vers sa mère. Elle s'y accroche, mais moins d'une minute, et ne lui sourit pas. Au contraire elle s'agite. Sa maman la prend pour lui donner son biberon, elle l'interpelle doucement, elle lui parle. Fiona répond à ce dialogue et regarde sa mère, mais détourne aussitôt les yeux. Fiona a très certainement perçu les angoisses de sa mère, angoisses sur les décisions à prendre pour l'avenir de Fiona, que la maman exprimera un peu plus tard au cours de la visite. Alors à nouveau Fiona se cambre, sa tête part en arrière et elle n'est plus en communication avec sa mère. Elle clôt ses paupières petit à petit et semble vouloir s'endormir, indifférente ou même opposante aux diverses sollicitations verbales de sa maman. La maman insiste mais Fiona ne finit pas son biberon. Elle se tortille et commence à pleurer. Entre deux sanglots elle recherche le regard de Diane qui accompagne la visite. La maman remet le biberon dans la bouche de Fiona qui en a de petits haut-le-cœur. La maman ne parvient pas à l'apaiser.

Diane la reprend, Fiona se détend.

Diane confie à nouveau Fiona à sa maman, qui la reçoit sur ses genoux. Fiona fuit le regard de sa mère et recherche celui de Diane, puis s'agite et tient ses yeux mi-clos. Posée dans son landau elle s'endort aussitôt. Diane décide de la mettre à dormir au calme dans la pièce contiguë. Fiona, maintenant à distance de sa mère, se réveille aussitôt.

Aujourd'hui Fiona doit aussi rencontrer sa grand-mère maternelle.

Sa grand-mère s'annonce auprès de Fiona qui s'agite un petit peu en reconnaissant sa voix. Elle la dévisage plusieurs fois par balayage, en plusieurs passages, sans se focaliser sur un point particulier, comme votre scanner de bureau le ferait pour un document à numériser. Elle s'accroche enfin aux yeux de sa grand-mère et lui sourit.

Sa grand-mère la prend dans ses bras tout doucement, lui parle avec calme et mesure mais Fiona fuit encore du regard. C'est encore trop nouveau et trop rapide pour elle. Sa grand-mère patiente et la rassure. Fiona s'abandonne et lui adresse un sourire franc et libre. Maintenant détendue elle commence, de ce perchoir, à regarder ce qui se passe autour d'elle.

Sa grand-mère nous expose que toute sa famille s'est rendue solidaire pour permettre que Fiona soit accueillie chez elle en attendant que la maman aille mieux. Nous percevons sa lucidité sur la gravité de l'état psychique de sa fille mais aussi beaucoup de respect et d'attention.

La maman de Fiona s'effondre, pleure et proteste. Cela paraît paradoxal car en réalité, c'est elle qui avait imaginé cette solution, qui en avait parlé et avait anticipé cette décision. Mais au moment de son annonce plus officielle elle se voit rattrapée par ses émotions, et c'est heureux. Cela montre combien Fiona est précieuse pour elle bien qu'elle soit en difficulté pour l'exprimer en pratique. Sa mère trouvera les mots justes pour l'apaiser, lui expliquant l'implication de ses frères et sœurs dans ce projet familial qui était aussi le sien.

Le juge entérina le projet de confier Fiona à sa grand-mère et suspendit l'exercice des visites maternelles à la condition expresse que la maman reprît des soins et que son état psychique se stabilisât.

Le sacrifice d'une mère

Cette maman, certes très malade, avait conservé, malgré les apparences, une certaine conscience de ses problèmes psychiques et cherchait à faire au mieux pour sa fille. Avant la naissance elle s'était rapprochée du service social. Après la naissance elle avait accepté de rester dans le centre d'accueil mère-enfant. Quand elle allait mieux elle écoutait les conseils qui lui étaient prodigués pour ne pas se précipiter et pour chercher à rassurer Fiona. Elle avait accepté que Diane pût intervenir pour l'aider à se réinstaller avec sa fille dans les bras sans se sentir persécutée. Elle avait pu demander aussi conseil lors du change quand elle n'était pas sûre d'elle. C'est elle qui, avant ce dernier entretien, avait été jusqu'à questionner l'avenir et proposer que Fiona fût confiée à sa propre mère s'il apparaissait qu'elle-même ne pût pas s'en occuper comme il fallait.

Je suis toujours très ému quand j'entends des parents en difficulté énoncer leur choix d'accepter d'être privés de leur enfant en considérant son bien-être comme supérieur au leur. Et ils ne sont pas rares. Ces parents, qui n'ont pas maltraité leur bébé, mais qui pour des raisons diverses sont dans l'incapacité psychique d'assurer son éducation, font preuve par ce sacrifice d'eux-mêmes d'un courage qui devrait faire réfléchir bien d'autres parents qui se pensent bien comme il faut en méprisant les borgnes et les infirmes.

Je pense en particulier à tous ces couples qui se disputent leur enfant comme des chiffonniers lors d'une séparation. Le plus souvent bruyamment, mais parfois aussi plus sournoisement et de façon dissimulée, à fleurets mouchetés, sans un mot plus haut que l'autre. L'enfer maquillé d'un décor paradisiaque, du poison distillé au goutte-à-goutte et présenté comme un merveilleux élixir : « Mais tu as tout, l'ordinateur, la télé, les sports d'hiver, les vacances à Marrakech, de quoi tu te plains ! Arrête de tirer la tronche ! C'est pas parce que je ne suis pas du tout d'accord sur ton éducation avec « l'autre », tu sais de qui je veux parler, qu'il faut en faire tout un plat. Tiens ! D'ailleurs tu vas aller lui dire que… »

C'est pire encore quand c'est le quotidien de la vie commune, avec des parents qui nourrissent une relation haineuse l'un envers l'autre, ce qui peut passer inaperçu quand l'un est soumis au diktat de l'autre et que tout paraît lisse.

Ceux-là ne se croient pas des parents pathologiques mais entravent à coup sûr le développement et l'épanouissement de leur enfant.

Le pendule de Foucault

Fiona fut donc confiée à sa grand-mère maternelle.

Je revis Fiona à ses 7 mois avec sa grand-mère, qui m'en dressa un tableau charmant, une petite fille absolument délicieuse, très communicative, très maîtresse de sa relation à l'adulte. Sa grand-mère était assise en tailleur sur le tapis de jeu, une jambe dépliée. Fiona se posa en confiance sur ce fauteuil improvisé tapissé du tissu sombre d'une longue jupe. Installée bien droite sur le mollet replié de sa grand-mère et occupant ce siège avec autorité, elle me scruta d'un air interrogateur. Elle avait posé ses deux mains sur les accoudoirs que formaient les jambes qui l'enserraient et suivait notre conversation d'une oreille autorisée. Ainsi sécurisée, elle trônait et s'informait.

Fiona n'avait pas encore revu sa mère en visite, son psychiatre estimant que c'était encore prématuré. Mais sa grand-mère communiquait avec régularité avec la maman par webcam. Aussi Fiona entendait régulièrement la voix de sa maman qui, elle, avait ainsi des nouvelles et des images de sa fille.

Fiona s'était bien développée et s'était bien adaptée chez sa grand-mère. Elle allait régulièrement chez sa nourrice lorsque sa grand-mère travaillait. Je remarquai la vigilance persistante de son regard qui trahissait les séquelles de son ancienne surveillance défensive présente au tout début de son accueil à la pouponnière. Mais Diane me confirma que Fiona avait d'excellentes sécurités intérieures et qu'elle pouvait quitter sa grand-mère en toute confiance. Le jeu expérimental qu'inventa alors Fiona et que j'eus la chance d'observer allait dans ce sens et me rassura sur ce point.

La conversation se poursuivit. Fiona se laissa glisser sur le tapis et se retrouva allongée sur le dos. Elle regarda parler sa grand-mère par en dessous, en contre-plongée de cinéma. Position stratégique qui lui permettait de ne pas perdre une miette de ce qui se disait tout en gardant le contact visuel avec sa grand-mère et avec les interlocuteurs, Diane et moi. Fiona s'était en quelque sorte positionnée au centre du dispositif. Sa grand-mère s'amusa de son astuce, lui fit un sourire complice et lui adressa un petit mot tout en se penchant au-dessus d'elle. Elle portait un long pendentif qui, libéré par l'élan de son buste vers l'avant, oscilla alors au bout de sa grande chaîne juste au-dessus et à portée de main de Fiona. Je fus, je dois l'avouer, distrait par la scène et anticipai la réaction habituelle d'un bébé en pareille circonstance : s'emparer de l'objet, s'y agripper avec fermeté et tirer très fort. Gare aux cheveux, aux chouchous et aux boucles d'oreille. C'est aussi attrayant pour un bébé que la queue d'un Mickey au manège pour ceux qui sont en âge de s'y exercer.

Et surprise, qui me prouva la maturité psychique et développementale qu'avait acquise Fiona – elle n'avait alors que 7 mois –, elle ne l'attrapa pas mais en observa le balancement. Puis, soit de son index, soit en le prenant en pince avec le pouce, avec précision et délicatesse, elle s'exerça à le repousser pour qu'il reprît son mouvement oscillatoire. Cela me fit penser au pendule que Foucault installa au Panthéon en 1851 pour que fût rendue perceptible au public parisien la réalité de la rotation terrestre. En 1955 ceci inspira à la reine Juliana des Pays-Bas de faire le don aux Nations unies d'un pendule similaire, exposé dans le hall du siège de l'ONU à New York, et qui s'y balance toujours. Sur sa surface en or, elle fit aussi graver la maxime suivante : « C'est un privilège que de vivre aujourd'hui et demain. »

Fiona ne connaissait rien à la rotation de la terre mais à 7 mois elle avait acquis cette confiance intérieure dans le fait qu'une personne, c'était cela son privilège à elle, était disponible à tout moment. Elle était là hier, elle est là aujourd'hui et elle sera là demain, s'éloignant parfois, mais pour revenir toujours, avec une régularité de métronome.

Mieux encore, Fiona a appris à s'accommoder de l'absence possible et temporaire de cette personne en apprivoisant cette solitude, en la faisant sienne. Quand la personne s'éloigne et disparaît, c'est elle qui l'a repoussée d'une chiquenaude ; quand elle revient, c'est elle qui l'a fait réapparaitre par l'enchantement de son désir ; quand cette personne reste, c'est elle qui la garde, entre le pouce et l'index, comme l'amoureux croit retenir auprès de lui l'être aimé par quelque artifice ; et quand cette personne n'est pas là, elle s'en souvient et la rend présente par l'entremise d'un objet qui aurait pu lui appartenir ou qu'elle a reçu en cadeau. Le jeu qu'elle invente avec le pendentif de sa grand-mère est pour elle une représentation de toutes ces situations dont aujourd'hui elle n'est plus la marionnette impuissante et esseulée, mais dont elle imagine être désormais la maîtresse et l'arbitre de la relation. Dans ce jeu, car c'en est un, comme le théâtre ou le guignol, ce n'est plus elle qui est pantin abandonné, car c'est elle qui congédie et c'est elle encore qui invite à revenir.

Quand un bébé joue, ses parents et ses éducateurs considèrent avec attendrissement son activité comme des expériences de physique, des apprentissages inédits ou des acquisitions motrices nouvelles. Mais en réalité ses jeux sont aussi d'authentiques mises en scène psychiques qui lui permettent d'apprivoiser le monde et l'étrangeté de la vie des grandes personnes qui vont, qui viennent, qui apparaissent, qui disparaissent et qui ne comprennent pas toujours bien, ou alors tout de travers, le problème d'être un bébé : vouloir beaucoup et ne rien pouvoir faire seul. À croire que les grandes personnes ne se souviennent plus très bien comment c'était d'être un bébé. Alors bébé s'invente des jeux bien à lui grâce auxquels il développe une logique tout à fait singulière pour donner du sens à l'inexplicable et apprendre à supporter l'imperfection qui l'entoure. Il se montre alors beaucoup plus intelligent que les adultes et les fabricants de jouets car il détourne à son usage personnel ce qui est formaté à l'usage du plus grand nombre.

Fiona avait connu le chaos durant ses six premières semaines de vie du fait des réponses aléatoires de sa mère à ses besoins.

L'attention discontinue de sa maman dont la disponibilité psychique à un bébé était très variable ne lui avait donné aucune confiance dans la stabilité et la solidité du monde. Rien ne l'assurait qu'à sa faim succéderait la satiété, que sa soif se verrait épanchée, qu'être tenue dans des bras était sans risque, que ses pleurs seraient consolés, que quelqu'un veillerait à ce qu'elle n'eût ni trop chaud ni trop froid, qu'une présence attentive se manifesterait à son réveil, qu'être baignée était un plaisir et non un danger.

Je jugeais donc assez extraordinaire que Fiona eût réussi à retrouver une aussi belle confiance en elle-même et dans les humains, auprès de Monique puis avec sa grand-mère, et en un laps de temps aussi court.

Fiona, petite chose souffrante et perdue, était devenue la créatrice du monde qu'elle organisait maintenant à sa guise.

5 – VIOLETTE, DIX JOURS DE VIE

La prodigieuse mémoire de Salvador Dalí

Le 30 septembre 1961 Salvador Dalí s'est exprimé devant une caméra, mais ce reportage n'a jamais été diffusé. Il portait une robe de chambre de soie noire et brillante, les manches et le col en velours mat. Il raconta, recueilli et concentré, les souvenirs de sa rencontre avec Freud à Londres, plus de vingt années auparavant. Cette visite au maître avait été organisée le 19 juillet 1938 par Stefan Zweig, un ami commun, un peu plus d'un an avant la mort de l'inventeur génial de la psychanalyse.

Avec son talent unique pour rouler les *r* de la façon la plus sophistiquée qui soit, dans un décor quasi monastique éclairé par des cierges effilés, Salvador Dalí, paraissait vouloir transmettre avec exactitude la teneur de leur conversation. L'interview commence donc sur le ton très sérieux du documentaire historique. Pour une fois, Salvador a le propos didactique et la parole plus sobre que Dalí.

Mais Salvador reste Dalí et cette mise en scène laisse transparaître ce qu'elle est vraiment : une mystification artistique géniale. En effet de quoi nous parle-t-il ? De Freud ? Non ! Ou seulement deux mots pour affirmer que le maître aurait confirmé la validité de ses théories. La suite n'est qu'une élucubration à la Dalí, truculente, magnifique… surréaliste. Le récit de sa vie dans le ventre de sa mère.

Alors ? À quoi pouvait bien jouer Salvador dans la piscine utérine ?

Écoutons-le :

« Ah oui ! ça, j'ai des souvenirs très nets, très nets. Probablement Freud m'a dit que ça devait correspondrrre aux deux derniers mois avant la naissance. Mais d'ailleurs, il y a des personnages dans l'histoire comme Casanova, dans ses Mémoires, il prétend aussi se souvenir de la vie intra-utérine. Moi je voyais ; moi je voyais surtout des œufs sur le « placent de blanc » et alors le blanc de l'œuf était phosphorescent et il se contractait, il bougeait un peu comme les montres mollles. Les montres mollles, le côté mmmou vient de cette espèce de parrradis intra-utérin dans lequel on est plongé dans une espèèèce de milieu visqueux et mmmou et dans lequel on se sent complèèètement protégé du monde extérieur. C'est une espèce de nirrrvana, une espèce de paradis sublime, dans l'obscurité, dans la chaleur, et dans lequel on a uniquement les visions provoquées probablement par la position des poings sur les orbites [il fait le geste]. Parce que quand on presse très fort [il se presse les yeux avec les doigts] sur les orbites, on voit ce qu'on appelle scientifiquement les phosphènes. Les petits enfants, je me souviens quand nous jouions à se presser jusqu'à la douleur avec les doigts les orbites pour voir surgir des anges, on disait. Ces cercles en couleur, les phosphènes, on les appelait des anges, ce qui faisait allusion à la vie intra-utérine. Et d'ailleurs Otto Rank dans son *Traumatisme de la naissance* montre que quand on passe de ce milieu absolument parrradisiaque au monde extérieur où il y a trrrop de lumière, où tout est trrrop dur, c'est pour cela que les enfants pleurent. Et en plus c'est accompagné à la naissance très souvent par un vrai trauuumatisme avec des symptômes d'asphyxie. C'est le mythe, qui se forme à ce moment-là, du paradis perdu. On est chassé du paradis maternel et c'est pour ça que la plupart des suicidés veulent retrouver en se suicidant…

veulent retrouver ce paradis perdu [que] nous retrouvons de façon partielllle en se recoquillant (*sic*) dans le sommeil, et c'est pour ça que très souvent quand on approche, après la fatigue, d'un sommeil très réparateur et que presque on baaave de satisfaction parce qu'on approche le sommeil, trrrès souvent il y a une chose effrayante. On tombe dans le vide [il mime avec ses bras le geste de tomber et derrière lui la crédence et les cierges qu'elle supporte en tremblent] et on se réveille en sursaut et ça, justement, c'est un rrrraaaappel au traumatisme de la naissance, à cette idée de tomber dans le vide...»

Oui ! Sans rire, ni se départir de son sérieux, ce maître du surréalisme nous raconte avec beaucoup de conviction les jeux qui l'occupaient dans l'espace utérin. Dalí va sans sourciller se comparer à Casanova qui aurait affirmé se souvenir de son séjour à l'intérieur de la matrice maternelle.

Pourtant Casanova nous assure du contraire dans la préface de ses Mémoires : « Mon histoire commence avec le fait le plus reculé que ma mémoire puisse me fournir, elle commence à l'âge de huit ans et quatre mois. Avant cette époque, s'il est vrai que *vivere cogitare est*, je ne vivais pas, je végétais. »

Le ventre maternel est-il comme le prétend Dalí un paradis extraordinaire mais perdu ? Et comment ce passage influence-t-il d'une manière ou d'une autre notre vie sur terre ? Sommes-nous déterminés par la conjonction des astres, par le désir de nos parents ou par d'éventuels événements soudains survenus lors de la grossesse et l'accouchement ?

Des questions aussi vieilles que l'humanité.

Le paradis perdu du ventre maternel n'en est pas toujours un

Violette nous arrive de la maternité par ordonnance du procureur.

À la réunion de service, Bénédicte, son éducatrice, nous décrit les premiers jours de Violette à la pouponnière :

« Elle n'avait pas un visage frais et détendu comme aurait dû l'être celui d'un bébé d'une dizaine de jours. Une barre marquait son front, elle gardait les sourcils froncés, elle avait le teint hâve et le visage creusé. Son regard restait grave. Elle ressemblait à une petite vieille, triste, déjà toute ridée et flétrie, qui aurait été blackboulée tout au long d'une existence de souffrance. Si jeune ! 10 jours ! Et déjà très marquée par la vie.

Lorsqu'elle buvait, le simple bruit de succion de l'air passant dans la tétine la faisait sursauter. Elle contractait alors son visage qu'elle gardait un long moment crispé. Elle se faisait peur rien qu'en tétant. Elle prenait son biberon en serrant les poings. Je n'avais jamais vu ça chez un bébé.

Cependant nous avions remarqué qu'elle aimait bien être portée, se lover et être rassemblée contre nous. Elle était bien dans nos bras. Nous sentions qu'elle s'y détendait. Alors nous avons essayé de la porter en écharpe contre nous le plus souvent possible. Quand nous la portions ainsi nous percevions aussi qu'au moindre bruit, même discret, un simple effleurement d'une main d'enfant sur la table, elle était saisie d'un sursaut suivi d'une tension durable de tout son corps. Elle mettait ensuite du temps pour se relâcher. Dans ces instants-là, elle fermait aussi son visage. Nous posions alors la main sur son dos, sur sa tête, comme lorsqu'un bébé tressaute dans le sein de sa mère et que celle-ci le rassure de sa main posée sur son ventre. Nous lui parlions.

Comment un bébé si jeune pouvait-il être aussi stressé ? »

Une grossesse infernale

Nos collègues hospitaliers, qui avaient transmis au procureur leurs inquiétudes sur la capacité des parents de Violette à la prendre en charge, nous avaient aussi donné quelques informations sur la grossesse mouvementée de Violette et sur la personnalité troublée de sa mère. Cette jeune maman sortait d'une famille de douze enfants, à la Hugo, à la Zola et à la Dickens tout à la fois. Elle y fut victime de maltraitances diverses, viols, violences et délaissements graves. Elle fut enfin séparée à l'âge de 6 ans de ce milieu familial si mortifère, mais bien trop tard pour sortir indemne de tant d'infamies. C'était une enfant dont le psychisme était fragile et dont le comportement était gravement altéré. Elle était comme écorchée vive, hyperréactive, impulsive et violente. Son adolescence fut explosive, elle fugua, se maltraita, se scarifia la peau et fit de nombreuses tentatives de suicide, ne supportant ni frustration ni déception. De façon paradoxale elle joua les caïds en persécutant les autres jeunes des diverses institutions où elle fut accueillie. Les enfants qui n'ont connu que l'insécurité affective et le manque de protection en viennent parfois à faire la loi autour d'eux, s'illusionnant sur la possibilité de maîtriser ainsi leur environnement afin de se prémunir des aléas de l'existence. Tyranniser les autres, c'était un moyen illusoire d'éviter les surprises et les déceptions – se servir soi-même, mettre les autres à son service. Mais quand ces manœuvres échouaient, la difficulté de s'adapter au monde la submergeait, et elle s'effondrait. Alors c'est à elle-même qu'elle s'attaquait.

Elle fut hospitalisée en milieu psychiatrique à plusieurs reprises sur de longues périodes dont deux années de suite avant sa majorité.

C'est là qu'elle rencontra son compagnon qui devint le père de Violette. Ils s'enfuirent ensemble. Elle ne jugeait pas l'hôpital comme un asile qui protège ou comme un refuge contre la maladie. Au contraire, elle imaginait que sa liberté y était aliénée, et elle craignait d'être contaminée par la folie des autres. S'enfuir, c'était s'échapper de la fêlure et de la monstruosité de sa vie d'enfant. Mais ce n'était que se fuir.

Plusieurs mois, ils menèrent une vie d'errance, livrés aux hasards de la rue.

Comme beaucoup de ces jeunes adultes à l'enfance fracassée, l'idée la traversa que faire un enfant effacerait le passé et lui ouvrirait un nouvel avenir.

Mais elle portait sous la peau, en regard de son biceps, un implant contraceptif qui lui avait été posé à l'hôpital. Le conserver, c'était *no baby*. Alors, avec ses dents, elle se déchiqueta le bras et extirpa l'implant comme certains héros de films de science-fiction se débarrassent de la puce électronique qui les asservit.

Enceinte.

Elle alla l'annoncer à sa mère.

Après tant de malheurs auprès de cette femme, elle gardait malgré tout l'espoir que celle-ci lui porterait enfin attention. Elle imaginait que cette nouvelle vie susciterait chez sa mère intérêt et fierté, sinon pour elle, du moins pour la promesse d'un enfant. Elle raconta que sa mère s'était soudainement intéressée à deux de ses sœurs aînées lorsqu'elles avaient eu un enfant. Alors pourquoi pas elle. Mais elle n'obtint qu'indifférence et rejet. « Qu'est-ce que tu crois ? Tu seras incapable d'être une mère ! »

Oracle avisé d'une experte en maltraitance infantile. Rien n'avait changé.

Ce nouveau désenchantement la précipitera dans une violence inouïe à l'égal de la cruauté subie dans son enfance. Elle avait tenté de l'oublier et de l'effacer mais sa mère, en cela fidèle à elle-même, lui avait jeté venin et mépris en pleine figure. Cette jeune femme fut à nouveau envahie par la haine et la violence qui se mirent à tout submerger, elle-même, son compagnon d'infortune et la terre entière.

Elle eut une altercation physique violente avec le bientôt père de Violette. Vu ses contusions multiples et son état de grossesse, elle fut mise en observation à la maternité. Elle tenta de s'y suicider avec des médicaments et fut transférée en réanimation. Sa volonté de mourir restant intacte, elle se retrouva internée sur ordre des autorités, placée en chambre d'isolement et attachée pour éviter qu'elle ne se blesse. Déterminée à en finir, elle parvint à se stranguler avec son pyjama malgré de très fortes doses de sédatifs et des entraves aux membres. Retour en service de réanimation. Le service de psychiatrie proposa une levée de son hospitalisation sous contrainte puisque cette disposition n'avait rien résolu, bien au contraire. Enceinte de quatre mois, elle repartit en errance avec son compagnon, de ville en ville, de squat en abri de hasard. Elle ne se préoccupa plus du suivi médical de sa grossesse jusqu'à ce que, molestée dans sa propre famille et battue dans celle de son compagnon, elle soit amenée à la maternité par les pompiers qui l'avait trouvée errante et enceinte jusqu'au cou. Elle accouchera de Violette dès son admission.

Cette histoire effroyable nous permit d'expliquer le stress de Violette. Elle n'avait pas connu la sérénité d'un ventre paradisiaque à l'abri des agressions du monde. Cette grossesse infernale le fut aussi par les sentiments contradictoires qui animaient la maman et qu'elle nous livrera petit à petit. Elle espérait que cet enfant lui apporterait une nouvelle vie mais elle n'était pas en capacité de se représenter la charge et les contraintes physiques, psychologiques et sociales qu'imposerait une grossesse puis l'entretien d'un bébé. Au point qu'elle se sentit parfois persécutée par ces désagréments habituels et ces obligations ordinaires qu'elle reprocherait ensuite à son bébé. Ou au contraire, percevant à d'autres moments son incapacité à les assumer, elle se pensait alors nocive pour l'enfant. « Je ne sais pas comment je saurais m'occuper d'un bébé. » Cette ambivalence des sentiments, parfois mêlés, n'était jamais prévisible et la maman oscilla d'un jour à l'autre entre des menaces de rapt, le désintérêt pour sa fille, des récriminations à l'égard de son bébé ou un évitement de son contact lorsqu'elle se sentait trop démunie pour répondre à ses besoins ou qu'elle redoutait ses propres pulsions violentes.

Stress et repli relationnel

Violette était un bébé silencieux qui se faisait oublier. Elle ne réclamait pas son biberon et restait éveillée sans pleurer ni réclamer. Elle était très angoissée et mit un bon mois avant de manifester ses premières demandes affectives qui restèrent difficiles à interpréter par la confusion de leur expression. Les premières semaines, ses maternantes devaient faire un effort d'attention pour repérer les signes timides du désir de Violette de se reposer sur elles. C'était compliqué de comprendre ses réactions et de deviner son envie de connexion affective. Son premier réflexe était toujours un geste de défiance avant qu'elle se relâchât et fît confiance dans un second temps. Violette était à la fois dans l'évitement relationnel et dans la recherche de réassurance.

Un bruit et elle se rétractait, devenant inaccessible pour, un temps après, se détendre enfin dans les bras. Si elle ne cherchait jamais à s'accrocher du regard, elle en vint néanmoins assez vite à serrer le doigt de sa maternante plutôt qu'à se contracter sur elle-même lorsqu'elle était surprise. Quand Violette semblait absente, ne répondant pas aux sollicitations verbales, son éducatrice apercevait pourtant le roulement de ses yeux sous ses paupières fermées quand elle lui parlait. Bien qu'elle se raidît quand elle était prise, elle se blottissait ensuite en s'abandonnant dans les bras qui la portaient. D'ailleurs tout allait mieux quand elle était portée. Elle aimait qu'on la promenât, collée contre soi, dans les bras, ou en écharpe comme si elle se sentait alors plus en sécurité que dans son berceau.

Elle appréciait que ses maternantes s'occupassent d'elle. C'était discret mais c'était devenu beaucoup plus perceptible. Maintenant elle se tournait vers Bénédicte quand celle-ci s'adressait à elle, mais sans aller jusqu'à croiser son regard. Elle évitait toujours ses yeux et fixait les siens ailleurs.

Lors des premières visites parentales Violette était encore sans défense, irrémédiablement replongée dans une très grande angoisse, incapable de se protéger de la violence des émotions paradoxales et contradictoires de sa mère. Celle-ci pouvait tourmenter les professionnels en criant qu'elle allait enlever sa fille : « Ce ne sera pas un rapt puisqu'elle est à moi ! Le juge ne dira rien, c'est ma fille. » Quand elle prenait des photos de sa fille, c'était pour menacer de porter plainte sur des sujets dérisoires et sans rapport avec la réalité. Ce n'étaient pas des souvenirs mais des preuves à charge d'on ne savait quoi. Violette n'existait pour elle que comme l'objet d'un possible contentieux.

Avec le papa, ils apparaissaient curieux, amusés, vite ennuyés et désappointés comme les petits enfants qui découvrent pour la première fois ce qu'est un bébé, un machin qui boit, qui pleure et qui dort et avec qui on ne peut rien faire. Lors du change, Violette fut prise d'un violent sursaut du corps entier, ses quatre membres se déplièrent puis se rétractèrent, son dos se tendit. Au lieu de tenter de l'apaiser, ses parents éclatèrent de rire, ce qui déclencha d'autres décharges : « Tu as vu ! Elle sait déjà faire le bras d'honneur ! C'est toi qui lui a appris ? » Ils observaient les réactions de ce bébé mais ne considéraient pas Violette. À cet instant, à leurs yeux, elle n'était qu'une tortue sur le dos qui agitait ses pattes.

Dans cette situation, Violette était seule et rien ni personne ne pouvait apaiser son angoisse. Elle n'osait pas pleurer. Elle n'avait pas encore la ressource de savoir se tourner vers ses maternantes ou de les rechercher d'un regard. Alors elle joignait ses petites mains et entrelaçait ses doigts qu'elle serrait fort. Ce n'était ni un geste de supplique, ni une imploration muette, ni même une posture de prière mais un réflexe d'auto-agrippement. C'était le seul moyen qu'elle avait trouvé pour se tenir à une main secourable : la sienne. Les quelques jours qui suivirent son admission elle avait eu cette façon très étonnante de se raccrocher à soi-même, mains jointes et doigts entrelacés, en particulier pendant le biberon. Mais elle avait assez vite troqué sa propre main contre un doigt de sa maternante.

C'était donc très éprouvant pour ses éducatrices de voir Violette sombrer à nouveau si seule dans le chaos, sans pouvoir rien faire pour la retenir, au moment même où elle commençait tout juste à leur faire confiance.

Premiers contacts avec les humains

Ce n'est qu'à l'âge de 1 mois que Violette adressa son premier sourire franc. Elle venait de prendre son biberon, Bénédicte l'avait encore dans les bras. « J'étais en train de lui parler, j'essayais de retenir son attention et elle m'a fait un sourire. Le premier ! » Auparavant Violette était toujours fuyante ou n'accrochait son regard que quelques courts instants. Si on la regardait trop, elle fronçait les sourcils et se détournait. À 6 semaines, elle se tordait la bouche pour essayer de sortir quelques sons mais ne parvenait à produire que des silences. Violette y mit beaucoup d'application et ses éducatrices firent comme si elles comprenaient ces déclarations muettes en l'encourageant. Elle découvrit bientôt que crier avec vigueur permettait de se retrouver bien installée dans le confort de bras aimants. Elle s'y calmait aussitôt, comme par enchantement. Mais il fallut attendre trois mois pour ne plus observer les grands sursauts.

Violette apprit donc petit à petit à se connecter et à se reposer sur ses éducatrices et du coup à utiliser cette ressource pour se protéger quelque peu de l'irruption soudaine et imprévisible des émotions de sa mère lors des visites.

L'orage des émotions maternelles

La plupart du temps ses parents ne manifestaient rien lorsque Violette arrivait dans les bras de sa maternante. Ils ne se levaient pas, ils ne s'avançaient pas pour dire bonjour à Violette. La petite les regardait, suspendue, sans réagir.

À croire qu'ils étaient indifférents. Ensuite c'était Violette qui faisait l'effort d'essayer d'entrer en relation avec eux, mais c'était difficile. Ses parents ne lui souriaient pas et ne s'adressaient pas à elle. Ils ne semblaient pas concevoir qu'ils pussent avoir une relation réciproque avec ce bébé qu'ils regardaient comme une chose étrange, qui vivait, qui mangeait, qui pleurait, qui souriait parfois mais avec qui ils n'imaginaient pas qu'il fût possible de partager des émotions. La maman, sans expression, donnait le sentiment de regarder quelque chose derrière une vitrine. Il lui était impossible de s'identifier à l'enfant. La réalité était sans doute plus complexe. Cette maman était paralysée par la confusion des sentiments qui la traversaient en observant ce bébé : demande d'amour et agressivité, revendication de possession et indifférence ou rejet, velléités de protection et désirs mortifères, qui transpiraient de ses propos toujours durs et crus.

Si Violette s'endort et ne bouge plus elle demande soudain : « Est-ce qu'elle est morte ? » Ne tenant plus d'angoisse après une telle pensée, elle la réveille en l'excitant avec une peluche qu'elle lui promène sur le visage puis lui asticote la bouche avec une tétine. Quand on lui propose de prendre sa fille, elle refuse, prétextant ses mains froides, son rhume ou trois poils de chat sur son pull. Violette a des gaz et se tortille à la limite des pleurs, sa mère rigole de la voir se contorsionner ainsi. Violette tousse beaucoup, sa maman évoque alors ses propres maladies, en particulier une infection urinaire après son accouchement et ajoute : « C'est à cause d'elle. » Elle parle de ses vomissements en début de grossesse et affirme : « C'est de sa faute. » Tandis qu'elle porte Violette dans les bras, elle raconte qu'enfant on lui aurait fracassé la tête : « Est-ce que vous savez si c'est plus dangereux pour un bébé de tomber sur la tête ? » Ses pensées, effrayantes, défilaient en continue et elle les exprimait sans retenue, à faire froid dans le dos et à donner le vertige.

De son côté, face à cette mère parasitée pas ses pensées, Violette allait au charbon, dépensait de l'énergie mais revenait son seau vide. Face à l'absence de réponse de ses parents, Violette arborait un petit sourire de façade mais la houppe de son menton trémulait un peu. C'était comme si ses yeux souriaient mais que ses joues et sa bouche étaient proches des larmes. C'était une sorte de sourire de commande, un peu figé. Il était difficile de pronostiquer si son visage allait s'éclairer ou si cela finirait en pleurs. Parfois Violette s'essayait même à un sourire franc, puis, sans retour, elle abandonnait. Violette était comme pétrifiée devant l'impassibilité de ses parents. Ils restaient là, assis sur leurs chaises, et il fallait leur demander qui allait prendre Violette : « Vous madame ? Vous monsieur ? »

Pour les aider, conseil leur fut donné de manifester leur affection à Violette d'une façon plus visible. L'éducatrice invita alors les parents à s'approcher. Ce fut « étonnant » nous rapporta-t-elle : « Violette tenta un coup d'œil furtif vers sa mère puis vint se réfugier dans mon regard. »

La visite suivante, les parents se levèrent pour dire bonjour à Violette dès son arrivée. C'était un geste emprunté, sans affect véritable, en conformité avec les consignes reçues. Violette fut surprise et s'échappa de leurs regards pour aller s'accrocher le reste de la visite aux yeux du monsieur, éducateur en formation, qui accompagnait la rencontre ce jour-là. Violette ne l'avait vu qu'une fois auparavant. Il en fut tout abasourdi et désarçonné, ne comprenant pas qu'un bébé si jeune l'ait recherché lui, un inconnu, un homme, un étudiant, un stagiaire, sans expérience professionnelle, sans connaissance des bébés ni de la paternité, plutôt que ses parents. Il en était ennuyé pour les parents mais ne se voyait pas abandonner ce bébé à son sort.

Violette apprend la météo

Une autre visite. Sa mère sembla attendrie en donnant le biberon à Violette. Mais elle se désintéressa vite de sa fille et se mit à parler d'autre chose avec son compagnon. Violette n'eut même pas le temps d'entamer des échanges de regards.

Violette sut assez vite juger de la tonalité de l'ambiance générée par ses parents et trouver des stratégies pour s'y adapter. Quand la maman était fermée et opposante, mutique, qu'il y avait de la tension dans l'air, Violette jouait les absentes. Elle s'effaçait. Si ses parents s'approchaient elle tournait la tête et pouvait aller jusqu'à pleurer. Le papa semblait un peu plus adapté et sensible à sa fille et réussissait parfois à la tranquilliser. Mais il était surtout préoccupé par les réactions de son amie qu'il cherchait à contenir et à rassurer. Quand il n'y parvenait pas, pour éviter une explosion de colère, il prenait pour siens l'agressivité et les propos violents de la maman et faisait alliance avec elle.

Quand l'atmosphère était trop pesante l'éducatrice proposait une promenade en poussette. Chacun se laissait distraire par le paysage qui défilait au rythme des pas et Violette se calmait bien ainsi. Mais au retour quand la maman voulait la reprendre, Violette était en larmes.

La maman désemparée disait : « Je ne peux pas entendre ma fille pleurer. » Elle paraissait alors très démunie dans la confiance qu'elle pouvait se faire sur sa capacité à rassurer son bébé.

D'autres fois, si ses parents étaient peu disponibles, Violette pouvait s'endormir au beau milieu de la visite et se réveiller par magie dès la sortie de la salle lorsqu'elle comprenait qu'elle allait retrouver ses maternantes. Mais quand la visite tournait mal, elle pouvait beaucoup pleurer après la rencontre et redevenir à nouveau raide et difficile à porter.

Bénédicte s'en étonnait : « Pourtant, avec nous, elle manifestait alors de façon beaucoup plus spontanée. Pendant les soins elle riait aux éclats. Elle appelait en jasant quand elle voulait que je m'occupe d'elle. Ses yeux pétillaient et son regard s'illuminait quand je lui tendais les bras pour la prendre. »

Toutefois, lors de certaines rencontres sa maman était plus détendue et presque sereine. Violette, mieux aguerrie de son côté, parvenait alors à entrer en relation avec elle. Suivaient regards réciproques, sourires et babils. Cependant Violette gardait toujours un contact avec sa maternante, du coin d'un œil, au cas où. Elle savait maintenant comment rester connectée à une borne sécurisée.

Violette s'apaise

À partir de ses 6 mois son visage s'est adouci et elle fut beaucoup moins tendue. Désormais, elle était toujours à l'initiative dans la relation. Selon ses maternantes « elle babillait en remuant bras et jambes, fixait bien du regard et se montrait très sensible à la parole. Elle était devenue très tactile, nous tenant souvent et longtemps un doigt, le poignet ou touchant délicatement nos boucles d'oreille mais sans jamais tirer ou faire mal. Elle avait beaucoup de délicatesse ».

C'était une petite fille qui écoutait aussi avec une grande attention, presque avec sérieux. Lorsqu'elle s'impatientait pour manger ou être prise elle pleurait fort mais se calmait aussitôt qu'elle était satisfaite. Elle devenait capable de s'occuper seule avec ses jeux quand elle avait eu sa dose de relations et de câlins. Puis elle réclamait un peu plus tard, dès qu'elle en avait envie ou par rivalité avec un autre enfant qui avait accaparé des genoux disponibles. Quand la réponse ne venait pas assez vite à son goût, elle se mettait à crier. Elle aimait beaucoup les contacts avec les autres enfants. Elle avait noué un lien privilégié avec une petite de 3 ans, Lola, qui s'extasiait de parvenir à la faire éclater de rire. La petite Lola disait alors : « Lolette ! Lolette ! Elle rigole ! Elle rigole ! »

Violette manifestait ses désirs avec force et clarté, mais sans exigence démesurée. Ses émotions étaient bien prononcées et faciles à décrypter. Au point qu'elle semblait douée de la parole.

Une maman autrefois maltraitée et aujourd'hui persécutée par son bébé

La maman n'était plus aussi assidue aux visites, sous des prétextes changeants, mais restait très imprévisible. Impossible de prévoir dans quel état elle serait, mélange de silence et d'agressivité ou logorrhée envahissante. Même abordée avec la plus grande bienveillance, elle pouvait se sentir agressée par les professionnels.

Il était toujours difficile d'anticiper comment elle allait réagir, même pour une bonne nouvelle. La puéricultrice voulut expliquer, avec prudence, les progrès de Violette, qu'elle était plus détendue, qu'elle dormait mieux, qu'elle ne sursautait plus.

La maman répondit : « Quand je l'avais dans mon ventre, elle sautait tout le temps. Un jour, je suis allée au carnaval, elle n'a pas aimé la musique, elle me tapait dedans et ça me faisait mal. J'ai cru accoucher. »

Ses remarques sur Violette étaient toujours empreintes de dureté, voire teintées du sentiment d'être persécutée par ce bébé.

Violette régurgite après son biberon. La maman lui dit sans douceur : « Eh bien moi, c'est à cause de toi que j'ai vomi pendant la grossesse ! »

Violette sursaute et se cogne un petit peu la tête contre la joue de sa mère. Celle-ci réagit d'un ton menaçant, « T'as de la chance… », puis se radoucit : « J'aurais pu avoir très mal ! »

Si Violette la dévisage, sa mère la prévient sans aménité : « Tu as vu mes boucles d'oreille ! Ben t'as pas intérêt à tirer dessus, sinon… » et, semblant se retenir : « … Sinon, je vais avoir très mal ! »

La mère de Violette fut retirée à sa famille à l'âge de 6 ans, bien trop tard pour qu'elle s'en sortît indemne. Au-delà de sa personnalité d'ancienne enfant écorchée vive, limitée, agressive, exaspérante, dangereuse parfois, elle pouvait être touchante quand l'enfant perdue qu'elle fut appelait, cachée derrière ces buissons épineux. Placée et déplacée dans diverses institutions pour enfants et en services psychiatriques, elle n'avait plus mémoire de tous les détours de son parcours. Elle questionnait quelquefois les professionnels qu'elle croisait au foyer pour tenter d'apprendre si quelqu'un se rappelait l'avoir connue dans l'établissement ou se souvenait d'elle. « Est-ce vous qui vous êtes occupé de moi quand j'étais petite ? »

Quel sera l'avenir de Violette ?

Quand Violette eut 6 mois, le juge des enfants expliqua aux parents qu'après le temps d'observation et de soins à la pouponnière, Violette serait placée dans une famille d'accueil.

Nous craignions à cette annonce quelques drames, crise violente et accès de désespoir ou une nouvelle menace de rapt, mais à notre grande surprise, la maman nous déclara :

« Si c'est pour le bien de Violette, on veut bien qu'elle parte en famille d'accueil. »

Violette aura bientôt 7 mois. Autour d'un café, nous échangeons avec ses maternantes au sujet de son évolution depuis son arrivée.

Bénédicte rit et conclut : « Il faudrait changer sa photo de bébé au-dessus de son lit. Elle est souriante et détendue aujourd'hui. Elle est très active, pleine d'allant. Elle aime beaucoup jouer seule ou avec nous. Son regard est vivant. Cette photo de bébé sérieux ne lui ressemble plus du tout. Elle n'est plus chiffonnée comme sur ce cliché. C'est une enfant qui est devenue harmonieuse et gratifiante. »

Sylvie m'interroge : « Aura-t-elle un destin plus heureux que celui de sa mère ? »

Je lui ai répondu.

« Je l'espère et j'en suis persuadé. Elle n'est plus stressée comme à son arrivée. Elle a découvert auprès de vous que les humains pouvaient être rassurants et secourables. C'est ce qui lui a permis de se développer et de se construire sans trop de dommages. Laissée auprès de ses parents le pire serait arrivé. Elle aurait très vite été maltraitée physiquement car les parents n'étaient pas en capacité de supporter la contrainte et la pression psychologique que représente le souci d'avoir un bébé à charge. Elle aurait aussi été très gravement handicapée dans son développement et dans la structuration de sa personnalité du fait des difficultés de ses parents à avoir de l'empathie pour elle. Ils sont dans l'incapacité de considérer Violette bébé comme un être humain à part entière, doué d'émotions et de sentiments, et avec lequel il est possible d'avoir une relation affective autrement que par la revendication de sa possession.

Ils n'en sont pas responsables. Ils n'ont jamais connu cette sollicitude pour eux-mêmes. Comment auraient-ils pu l'inventer au contact de Violette et à son profit ? Le sentiment d'une possible attention de l'autre pour soi ne s'acquiert que par l'expérience primordiale des premières connexions affectives, dès les premiers jours de la vie. Plus tard, c'est trop tard.

Maintenant restera à lui trouver une famille d'accueil où elle pourra grandir sereinement. »

6 – Elouan espère, déprime, espère, déprime...

Avis de tempête

Je viens travailler à la pouponnière mais ce n'est pas ma maison. C'est la « Maison des enfants[10] ». Alors j'évite d'aller les envahir dans leur espace de vie. Ils me connaissent mais n'ont pas l'habitude de me voir mêlé à leur quotidien sauf circonstances festives ou occasions exceptionnelles. Aujourd'hui je suis pressé et je vais transgresser cette règle. J'ai un tracas d'agenda à régler tout de suite avec les éducatrices de l'équipe où est accueilli Elouan.

Ce petit garçon a 16 mois aujourd'hui.

Je lève le loquet de sécurité, j'ouvre la porte avec discrétion et j'entre dans ce sanctuaire préservé, son lieu de vie. J'ai beau essayer d'être le plus transparent possible, deux yeux perçants m'ont repéré dans la seconde. Regard noir de stupeur. Je tente de le rassurer : « Ne t'inquiète pas Elouan ! Je ne fais que passer. » Elouan me fixe, fait la lippe, son menton trémule, ses sourcils se froncent et des larmes menacent. Circonstance aggravante, Amandine sa maternante, le laisse seul, abandonné sur son tapis

---

10. Expression par laquelle les professionnels du foyer de l'enfance désignent l'établissement aux enfants qui y sont accueillis.

de jeu, pour m'accompagner dans le petit bureau attenant afin de consulter le calendrier. Je connais la propension d'Elouan à paniquer dans les situations nouvelles, face à des personnes qu'il connaît peu ou lors de courtes séparations. Je vais me retrouver responsable de la remise en eau des fontaines de Versailles. Amandine qui a pressenti la tragédie imminente explique avec calme et conviction à Elouan qu'elle reviendra très vite auprès de lui sans avoir l'air de s'inquiéter, ce qui m'étonne un peu, vu la récurrence de ses effondrements en pareille circonstance.

Cinq minutes plus tard, nos agendas calés, je m'apprête à quitter les lieux aussi clandestinement qu'à mon arrivée car je sais qu'un départ peut aussi déclencher les giboulées.

J'ai l'agréable surprise d'observer qu'Elouan, tout affairé à son jeu, me regarde passer, serein et tranquille. Si sa menotte ne me fait pas au revoir, son regard l'exprime. Je ne peux me retenir de manifester à son éducatrice, devant Elouan afin qu'il puisse l'entendre, ma satisfaction de constater combien il a acquis de nouvelles sécurités intérieures. Je ne l'avais jamais connu que triste, collé à sa maternante, grincheux ou en pleurs. Cette évolution est de bon augure pour l'avenir proche. Elouan devra nous quitter d'ici peu pour aller vivre auprès de ses parents adoptifs. Elouan ne les connaît pas encore, et eux, à cet instant, ne savent pas qu'ils seront bientôt choisis pour devenir ses parents.

L'insécurité fondamentale d'Elouan

Pour Elouan se connecter est laborieux, la connexion établie douloureuse et la déconnexion traumatique. Se rencontrer, une inquiétude ; être en relation, une incertitude ; se quitter, une souffrance.

Une séquence en miroir des réactions de sa mère qui, sous les dehors d'une grande assurance, était paniquée lorsqu'elle venait le visiter, restait angoissée d'être avec lui et se montrait toujours très pressée de repartir.

Après un an d'hésitation, elle vient de nous annoncer son choix, assumé, de confier Elouan à l'adoption. Une décision courageuse de sa part, un acte salutaire pour Elouan.

Elle nous avait confié Elouan douze mois auparavant, avec armes et bagages, un vrai déménagement. Ce qui ressemblait sans le dire à un dépôt d'enfant bien qu'elle déclarât qu'elle était seulement fatiguée, qu'elle avait besoin de se reposer un temps et de ne plus avoir ce bébé à charge pour ce faire. Elouan avait alors un peu plus de 4 mois. Sa mère ne s'en était que très peu occupé auparavant, l'ayant confié de longues périodes, jours et nuits, à des nourrices, ou à des « personnes de confiance », prétextant selon les circonstances un état d'épuisement ou qu'elle ne supportait pas les pleurs d'un bébé.

Les premiers temps, à la pouponnière, Elouan se réfugiait dans sa bulle en regardant fixement, très concentré, ses mains qu'il contorsionnait en de lentes arabesques bizarroïdes et inquiétantes plutôt qu'à rechercher le contact avec ses maternantes. Il était très observateur, méfiant, fronçait vite les sourcils quand un adulte s'adressait à lui. Lorsqu'il acceptait le contact, son éducatrice se retrouvait tout envahie par un regard triste et pénétrant qu'il soutenait longtemps. « Si je me connecte à toi, vas-tu toi aussi me laisser tomber aussitôt ? » semblait-il vouloir dire. Il faisait vraiment pitié.

Mais cette première émotion exprimée, il réussissait à se détendre, sourire et gazouiller. Il n'avait jamais connu de stabilité affective depuis sa naissance, trimballé qu'il avait été de gardiennes en nourrices, de familiers en connaissances. Très vite Elouan su se faire comprendre avec des pleurs modulés selon les circonstances, différents pour dire qu'il avait faim ou qu'il était fatigué ou que sa couche devenait pesante. Mais il retrouvait sa défiance lorsqu'une éducatrice qui s'était trouvée

6 – Elouan espère, déprime, espère, déprime

absente quelques jours revenait ou dès qu'une tête nouvelle apparaissait sur son territoire.

Connexion magnétique et quiproquo dramatique

Bientôt Elouan apprit à se connecter de façon presque magnétique. Clac ! Comme les aimants ! En particulier lors des biberons où, tandis que son estomac se remplissait, il buvait d'un regard intense et pénétrant la douce présence qu'il allait puiser dans les yeux de sa maternante tout le temps de la tétée sans s'en décrocher. D'une main il enserrait très fortement un petit doigt offert.

La maman ne souhaitait pas le prendre en sortie à domicile. Elle venait le voir plusieurs fois la semaine et Elouan s'appliquait de façon soutenue à entrer en relation avec elle. Mais le plus souvent la réponse de sa mère étant aléatoire, Elouan n'avait pas de retour immédiat ou se faisait rabrouer et il finissait pas décrocher.

La maman ne remarquait pas tous ces efforts, se plaignait au contraire de son peu d'élan, et Elouan en souffrait. Il ressortait épuisé des visites.

La maman vient d'arriver pour une rencontre parentale et converse avec Amandine qui porte Elouan dans ses bras. Elouan est attiré par la voix de sa mère et cherche son regard mais sa mère n'y prête pas attention. Il change sa position, se tourne. Amandine sent que le corps d'Elouan fait mouvement vers sa mère. Amandine se rapproche alors de la maman pensant qu'elle voudrait lui tendre les bras pour le prendre. D'ailleurs Elouan a anticipé cette éventualité et penche le haut de son corps vers sa mère, qui ne le remarque pas. Il est vrai qu'il tient ses bras collés à lui, comme s'il n'était pas certain de la réussite de sa tentative. Son tronc manifeste l'inclination de son âme tandis que ses bras révèlent sa retenue. En symétrie, la maman garde ses bras croisés et n'ébauche aucun geste vers lui. Amandine a perçu qu'Elouan, déçu, a maintenant repris ses distances vis-à-vis de sa mère et qu'il s'est raccroché à elle.

Elle réfléchit et décide néanmoins d'intervenir en affirmant à la maman qu'Elouan « voudrait très certainement » qu'elle le prenne. La maman lui répond qu'elle en doute car Elouan ne lui a pas tendu les bras.

« Je ne veux surtout pas le forcer. »

Et à l'adresse d'Elouan :

« Qu'est ce que je serai contente lorsque tu me tendras les bras. »

Votre tentative de connexion a échoué. Recommencer ? Abandonner ?

Elle finit par prendre son fils. Elouan paraît satisfait. Il joue avec ses longs cheveux noirs et la regarde bien dans les yeux. Sa maman lui parle avec gentillesse, des paroles bien adaptées à un bébé de cet âge. À cet instant elle est vraiment maman. Début de connexion réussi, Amandine est rassurée.

Mais cinq minutes ne se sont pas écoulées que la maman montre de discrets signes d'ennui qu'elle cherche à dissimuler. C'est elle qui fait alors effort pour maintenir son attention à Elouan, et Amandine s'aperçoit qu'à plusieurs reprises elle jette un œil à la dérobée à son portable puis à l'horloge murale. Elle est déjà ailleurs. Amandine a remarqué qu'elle annonce souvent son départ un bon quart d'heure avant la fin des visites donnant l'impression de ne vouloir rester que le minimum de temps avec son fils.

Elouan a remarqué que sa mère s'est déjà absentée et part lui aussi à la dérive. Il quitte alors sa mère des yeux et va rejoindre un reflet lumineux au plafond. Elouan s'est déconnecté. Sa mère n'en dit rien mais, décontenancée, cherche à meubler la vacuité

6 – Elouan espère, déprime, espère, déprime

qui maintenant les sépare. Elle se lève, fait les cent pas avec lui dans la pièce. Elouan qui a tant œuvré pour se connecter, en vain, laisse échapper un sanglot. Il retourne aux taches lumineuses qui dansent là-haut. Amandine l'observe, déçue pour lui. Elouan, qui a ressenti la préoccupation d'Amandine sur son visage, quitte son île lumineuse déserte et va s'accrocher à ses yeux.

Pour donner plus de matière à la prochaine visite, Amandine propose à la maman de venir la fois suivante à l'heure du biberon. Mais ce ne sera pas elle qui sera présente ce jour-là. Au lieu d'Amandine, ce sera Anna qu'Elouan connaît peu. Elle pense en son for intérieur que ce sera peut-être mieux ainsi : la maman et Elouan ne pourront pas se reposer sur une présence familière et devront mieux s'accorder.

Ce jour arrive.

Elouan boit son biberon et fixe le regard de sa mère. Anna est assise à petite distance. Mais bientôt, ayant sans doute perçu un certain flottement dans l'attention de sa mère, son regard s'évade et clac ! se verrouille sur celui d'Anna, presque une inconnue pour lui. Situation vrillée, comme le corps d'Elouan qui est accroché au biberon que tient sa mère et qui s'est scotché aux yeux d'une autre. Mais c'est préférable à son refuge habituel dans le spectacle déshabité des taches de lumière du plafond ou à sa fuite dans des jeux de mains bizarroïdes comme lors de son admission à la pouponnière.

« Alors la prochaine fois, essayez de venir à l'heure du bain. »

Comme pour « l'empereur, sa femme et le p'tit prince [qui] sont venus chez… » et ont trouvé porte close. Que se passera-t-il demain ?

Cette fois-là, Elouan est bien détendu dans la baignoire, il croise à plusieurs reprises le regard de sa mère, mais sans s'y attarder. Il est bien dans son bain et a d'autres choses à faire. À moins que ce ne soit lui qui se soit déjà absenté ? La maman le sort de l'eau avec des gestes tendres. Elle le pose sur la table à langer. D'habitude Elouan est dans de bonnes dispositions après le bain, c'est un temps qu'il aime bien et où il babille beaucoup lors des soins et de l'habillage. Il recherche à nouveau les yeux de sa mère qui elle ne se concentre que sur les aspects techniques de la situation, la couche, les chaussettes, les vêtements, les petits nœuds à faire. Dans un mutisme pesant, de part et d'autre. Elouan, d'habitude si prolixe avec ses maternantes dans ces instants de soins privilégiés, est resté silencieux.

Connexions, déconnexions

Les éducatrices qui ont en charge cet enfant s'alarment de ces connexions et déconnexions perpétuelles lors des visites. Le pédopsychiatre est appelé en renfort avec Lucile, notre psychologue. Nous recevons ensemble la maman et Elouan.

J'attends avec la maman dans la salle de rencontre. Elle est pimpante, agréable. Elouan arrive dans les bras de son éducatrice. Elouan scrute sa mère comme si c'était une inconnue. C'est l'impression qu'il donne. En réalité la maman est très changeante dans ses humeurs et dans son apparence, un jour sophistiquée et apprêtée, le lendemain défaite et négligée. Le contraste est impressionnant d'une fois à l'autre. Elouan cherche à savoir à quelle mère il va avoir affaire aujourd'hui, celle qui est très parfumée ou celle qui se délite.

La maman prend son temps, regarde son fils, lui demande s'il est heureux de la voir. Mais elle ne lui exprime pas ses propres sentiments et nous ne saurons pas si, elle, elle est heureuse de le voir. Elouan lui sourit enfin. Elle le prend dans ses bras, Amandine sort alors de la pièce et Elouan se retourne pour la suivre du regard lorsqu'elle le quitte. La maman s'assoit avec Elouan sur les genoux. Il se tourne pour la regarder. Ils se font des sourires, la maman lui parle avec attention. Elouan lui répond par des lallations. Il est si appliqué dans son effort pour communiquer que ses bras et ses jambes s'agitent un petit peu au rythme de ses messages sonores. Tout son corps est rassemblé dans cet élan de communication vers sa mère. Elouan gazouille. À cet instant la maman est capable de mener de front ses échanges avec Elouan et la conversation avec nous par des va-et-vient alternés et rapides de la parole et du regard. Elouan jase, elle lui répond. Nous commentons, elle acquiesce. Puis elle retourne à Elouan. C'est vif, suivi, cohérent, pas de déconnexion. Une box Internet à haut débit supporte sans rupture de charge plusieurs appareils connectés, la télévision, le téléphone et l'ordinateur portable en WiFi. La hotline est disponible et efficace. Tout fonctionne et vous ne vous énervez pas. Le monde est à votre portée.

Ce temps de rencontre, médical et psychologique, un peu solennel, soutient la mère dans son attention maternelle. Elouan en profite.

Ça ne va pas tenir plus de dix minutes.

Elouan attrape le col du chemisier de sa mère, en limite de son décolleté, et le dos de sa main touche le haut de sa poitrine. La maman réagit vite.

« Tu me déshabilles ! » Elle empoigne alors la petite main et la repousse, sans brusquerie mais sans douceur non plus. J'ai cru un instant à une réaction de pudeur. Il n'y avait pourtant là rien d'inconvenant et le geste d'Elouan serait resté inaperçu parce que banal, sans cette réaction subite. La suite me prouva qu'il s'agissait bien d'autre chose. C'était le contact de peau à peau qui gênait la maman. Cette exploration de la surface du corps de l'adulte est une étape qui suit parfois la conversation du bébé. L'enfant cherche à attraper cheveux et boucles d'oreille, rebord de vêtement, bracelet, montre ou collier. Il peut ensuite vouloir aller mettre les doigts dans les yeux ou dans la bouche de l'adulte, ce qui est très intrusif et nécessite de lui dire « non » à un moment. La maman n'a pas attendu cette étape et elle a donc repoussé bien avant la main qui s'accrochait à son col et avait touché son sein.

Mais pour parvenir à ce stade de richesse des connexions, neuronales, cognitives, affectives et culturelles, il y a plusieurs étapes à respecter.

Quand des adultes demandent bêtement aux enfants de « faire risette », figure de politesse imposée aux bébés « bien élevés », que ceux-ci se doivent d'exécuter comme un rituel social adressé à de parfaits inconnus, ils ignorent la réalité psychique de l'enfant. L'enfant n'est pas un petit animal à qui l'on apprend des numéros de cirque ou à donner la papatte.

Les tests de connexion affective

La séquence de connexion d'un bébé vers l'adulte est propre à chaque nourrisson mais respecte toujours une certaine logique. Le bébé lance des signaux, d'ouverture ou de fermeture, qui, en fonction de la réponse reçue, vont permettre ou non de passer à l'étape suivante. Comme les phases successives de connexion des vieux modems, vérification de la tonalité, numérotation, démarrage de la connexion, test de la mire, authentification PPP, connexion établie.

Le regard de l'enfant, d'abord, qui dévisage l'adulte. Qui c'est ? Connu ? Inconnu ? Bonne humeur ? Mauvaise humeur ? Le bébé teste la qualité de la ligne. Il vérifie s'il y a la tonalité.

Ligne ouverte. Étape suivante
Le regard se fixe sur les yeux de l'adulte. Premier arrimage. L'enfant envoie une requête de connexion. Réponse positive. Quel type de connexion ? Tendue ? Détendue ? Joyeuse disponibilité ?

Étape suivante, numérotation
De petites mimiques des joues apparaissent, mais pas de sourire immédiat. Elles peuvent évoluer vers un sourire

6 – Elouan espère, déprime, espère, déprime

mais qui peut être de couleur et d'intensité variables. Le plus souvent joyeux et heureux. Chez des bébés qui vont bien, leurs yeux se plissent. Le sourire traduit l'entrée dans une phase de relation confiante et apaisée. Mais il existe des sourires de conformité ou de façade chez des bébés qui savent qu'il vaut mieux éviter de fâcher papa ou maman. Cela peut même aller jusqu'à une dissociation de l'expression, les yeux sévères, un sourire contraint et le menton qui trémule. Des bébés qui sourient mais qui donnent le sentiment qu'ils vont éclater en sanglots. Ceux-là ne passent pas à la phase qui suit.

Étape suivante, début de la conversation

Un sourire de bébé heureux, reçu cinq sur cinq par l'adulte, déclenche toujours une réponse verbale de celui-ci, ce qui enclenche une « conversation » du bébé dont la gamme sonore va s'enrichir avec l'âge. Elle est caractérisée à ses débuts par une grande tension du regard et accompagnée d'une petite gesticulation corporelle, surtout des mains et des pieds, témoignant d'un engagement physique total, encore mal régulé puisque son effort musculaire, pour produire des sons et les contrôler, diffuse alors dans tout son corps.

La connexion est établie. Elle va s'enrichir, se développer au cours des mois et se complexifier par des jeux réciproques, vocaux, corporels, de manipulation, tout ce qu'on appelle les jeux de nourrice et plus encore. L'enfant parvenu à ce niveau de connexion est en condition pour télécharger, pirater, emmagasiner, stocker toutes les informations qu'il peut recueillir chez l'adulte à une vitesse fulgurante. Il se sert alors, du fait de cette relation confiante, du cerveau de l'adulte pour analyser le monde, l'environnement, la nature des choses, la qualité des rencontres, le sens des bruits en faisant siennes les expériences et les réactions de son support affectif.

Vous avez perdu la définition d'un mot, vous interrogez votre terminal mobile et vous avez la réponse en quelques secondes.

Un bébé fait la même chose mais c'est vous qui êtes son terminal mobile qu'il questionne d'un regard, d'un froncement de sourcil, d'un étonnement, d'un pleur bref et vite rassuré, de quelques vocalises et vous lui répondez sans même vous en rendre compte. C'est un hacker de haut niveau qui a placé un mouchard dans votre pensée !

Quand l'enfant aura acquis la parole, il n'aura plus autant besoin de passer par le contact visuel préalable.

Elouan et sa mère : décrochage

Après le geste d'Elouan vers sa mère et la réaction de celle-ci la déconnexion était consommée. La maman essaya bien de reprendre les choses en mains en passant par des activités de puériculture mais les expériences antérieures de ruptures de connexion itératives vécues par Elouan n'allaient pas arranger les choses.

Elle soulève soudain son bébé et lui dit « T'aurais pas fait caca ? » et décide tout de go d'aller le changer. Sans raison. Mais de part et d'autre le cœur n'y est plus. Elouan se laisse changer mais ne trouve plus le regard de sa mère qui lui parle sans vraiment s'adresser à lui. Elle cause de choses sans importance. Lucile qui les a accompagnés perçoit qu'Elouan est comme suspendu, cherchant un accrochage à sa mère qui ne viendra plus. Ni regard, ni parole, ni col de chemisier, ni chaleur de la peau, pas même un doigt secourable. Alors Elouan agrippe le doigt de Lucile, se fixe à son regard et lui adresse éclats de voix et sourires. La même situation vrillée qu'à la séance du biberon. Elouan connaît pourtant bien moins Lucile que sa mère. Après le change, rien ne va plus comme avant, Elouan chouine, se détourne et sa mère a beau marcher dans la pièce pour le distraire, rien n'y fait. Il atterrit dans les bras de Lucile où il se calme instantanément.

La maman nous fournit alors des explications techniques au mal-être de son fils, la faim, la fatigue, les dents, mais fine observatrice elle fit ensuite la remarque qu'à chaque fois que la situation dégénérait, Elouan se restaurait plus vite dans les bras des professionnels que dans les siens.

« Est-ce que vous pensez qu'il me rejette ? me demanda-t-elle alors. »

Question à l'envers !

Solitude hivernale

Nous nous revîmes mais la situation n'évolua pas. Elle refusa net toute proposition de travail psychologique pour les aider tous deux à mieux se connaître et à mieux se comprendre arguant d'une indisponibilité professionnelle. Bien au contraire, elle ne vint plus aux visites et refusa les appels téléphoniques en se faisant excuser par des tierces personnes.

C'était au début de l'hiver, en novembre. Elouan qui avait alors 1 an entra en hibernation. Il était proche de parler et de marcher mais tous ses progrès se figèrent plusieurs mois durant. Bébé sensible mais joyeux et gratifiant jusqu'alors, des cernes profonds lui marquaient maintenant le visage, des sautes d'humeur imprévisibles le débordaient et ses nuits furent agitées. Il était devenu passif, éteint et apathique ou s'enivrait de chantonnements bruyants qu'il n'adressait à personne. Et que lui dire ? Comment expliquer cette désertion ?

Quatre douloureux mois passèrent. C'est une missive qui nous annonça avant l'heure la renaissance de la vie, au début du mois de mars. La maman avait fait l'effort d'écrire à l'Administration pour manifester son intention de confier Elouan à une famille qui voudrait bien l'adopter. Une lettre émouvante et noble où elle reconnaissait ses difficultés à investir cet enfant et qu'elle pensait préférable pour lui qu'il grandisse auprès de parents qui l'aimeraient.

Le printemps d'Elouan

Ce fut l'hirondelle qui fit le printemps. Le temps de consolider les démarches administratives, d'annoncer petit à petit la nouvelle à Elouan, puis avec solennité dans le bureau de l'inspecteur de l'Aide sociale à l'enfance qui était tout aussi ému qu'Elouan. « Ta mère ne peut plus s'occuper de toi. Nous allons te chercher des parents. Ta mère a pensé que ce serait mieux pour toi. Elle a eu beaucoup de courage de décider ça. Je garde sa lettre dans ton dossier pour que tu puisses la lire un jour, quand tu seras grand. » Très concentré, Elouan a tout écouté de ce que lui disait le monsieur qu'il ne connaissait pas.

Il est rentré à la pouponnière, il a bien mangé et a passé une très bonne nuit. Les jours suivants il s'est mis à parler et a commencé à marcher.

C'est là que nous nous sommes croisés et que je fus si surpris de son évolution positive et rapide. Amandine me fit alors le récit des récents progrès d'Elouan :

« Il adore quand je change les paroles des petites comptines et des chansonnettes que j'ai l'habitude de lui chanter. Quand j'y mets des « papa » et des « maman » n'importe où dans le texte, même si cela n'a aucun sens, Elouan rit aux éclats. Et moi aussi ! Il dit tout seul des « papa » et des « maman ». Il chantonne le soir dans son lit. Ah ! Mais je dois quand même vous dire qu'il joue encore des fois avec ses mains. Est-ce que ça vous inquiète ? »

Je devinai à son regard amusé que là, Amandine, espiègle, se moquait un peu de moi.

Elle rajouta triomphante, joignant les gestes à la parole :

« Oui ! Il joue encore avec ses mains mais c'est pour faire les marionnettes quand nous chantons ensemble. Et des fois il le fait seul en me regardant du coin de l'œil. »

Le printemps est une excellente saison pour les greffes.

7 – ÉRIC, ENFANT ÉLECTRONIQUE

Un enfant étrange

Éric a 3 ans. Le rapport établi à l'hôpital où Éric a été amené est accablant. Éric ne parle pas mais émet des grognements dont personne ne saisit le sens. Il est sale. Son corps porte des marques bleues, violettes, vert sale, vieux jaune, dans le cou, derrière les oreilles, sur le visage, sur la poitrine. Mais ces marques de coups ne correspondent pas aux localisations habituelles des bleus qui s'observent lors de l'apprentissage de la marche chez les enfants malhabiles, sur les parties basses du corps et sur le devant. Celles-là sont sur le haut du corps et sur l'arrière. À portée de la main d'un adulte. Son poids est insuffisant pour son âge.

Lors de son admission à l'hôpital, sa mère, qui semblait avoir une certaine conscience du retard de développement de l'enfant, expliqua son état – bleus, amaigrissement, absence de langage, comportement craintif – par le caractère qu'elle attribuait à cet enfant : « C'est un bon à rien. Comme il parlait pas, je ne savais pas quand il avait faim ou qu'il avait soif. Il ne marche pas. Il se cogne partout ou il se laisse tomber par terre alors je le laissais en haut, enfermé dans sa chambre. Je ne le mettais jamais dehors. Je sais pas trop donner d'affection aux enfants, je suis pas trop à l'aise avec eux. Tenez, Éric, j'arrivais pas à rester seule avec lui. Je ne savais pas comment m'y prendre avec ce garçon, c'était moins dangereux de le laisser dans sa chambre. Mais il devait se cogner dans son lit et comme il avait toujours des bleus sur la tête, la puéricultrice l'a emmené ici à l'hôpital. »

Dans la salle d'attente des urgences pédiatriques, Éric est prostré sur une chaise, vigilant aux moindres gestes de sa mère. Elle décourage avec dureté ses rares tentatives pour aller vers la caisse à jouets qui l'attire comme un aimant : « Viens ici, tu vas tomber. C'est pas à toi, tu vas casser les jouets. »

Soudain la mère sort fumer une cigarette. Elle plante là Éric et part sans un mot, sans une explication. Éric en profite pour descendre de sa chaise, s'aventurer dans la pièce et chercher un contact furtif avec les personnes présentes, qu'il ne connaît pas. La puéricultrice qui les a accompagnés répond à son regard. Il la sollicite à nouveau en poussant de petits grognements lorsqu'il parvient à manipuler quelques jouets qu'il a extraits de la caisse interdite.

La mère revient le faire déjeuner. Sans doute pour faire mentir la maladresse apparente et le retard évident de l'enfant, elle exige de lui qu'il se débrouille seul pour son repas. « Montre que tu es un grand. » Bien au contraire, il se montre malhabile et très empoté, ce qui finit par exaspérer sa mère, constatant l'échec de sa démonstration. Énervée, elle se met à le gaver avec brusquerie, sans un mot. Éric doit mastiquer vite. C'est une chaude journée de printemps, Éric montre son verre. « Quand t'auras tout fini. » Sa mère refuse qu'il boive avant qu'il ait terminé son assiette, grosse bouchée après grosse bouchée, à toute allure.

Elle le quitta après un baiser furtif. Elle n'a téléphoné qu'une seule fois en cinq jours pour prendre des nouvelles de l'enfant. Elle n'est pas revenue le visiter. Éric est son troisième enfant, ses deux sœurs aînées ont été placées bien avant sa naissance et leur mère n'avait pas cherché à garder de contacts suivis avec elles, malgré les sollicitations des services sociaux.

Dans le service de pédiatrie, Éric regarde, hébété, les gens parler tout autour de lui et paraît ne rien comprendre à ce qui se dit. Éric ne communique pas mais se met souvent en colère alors que rien dans son environnement ou dans son activité ne vient l'expliquer. Il est paniqué par les bruits technologiques de cet hôpital moderne, le carillon électronique de l'ascenseur au bout du couloir, le jingle du micro-ondes de la salle des infirmières, la sonnerie du téléphone et les nombreux bip et bip-bip de toute sorte. Même le ballon de baudruche, placé là pour tenter d'égayer ce lieu angoissant et chercher à distraire de la maladie omniprésente, lui fait peur.

Éric, bébé du placard

Les différents rapports récupérés auprès des assistantes sociales sont aussi consternants que l'état de l'enfant. Éric n'a jamais connu autre chose que la maison familiale. Il ne sait pas ce qu'est une nourrice, une crèche, ou une halte-garderie. Il n'avait jamais quitté ses parents, ou plutôt sa mère, un seul jour, une seule heure. Mais ils ne vivaient pas ensemble. Éric vivait dans son lit, dans sa chambre à l'étage, et sa mère au rez-de-chaussée. Le week-end son père revenait de sa semaine de travail retrouver sa femme.

Dès la maternité des inquiétudes s'étaient fait jour concernant la qualité de la prise en charge de ce bébé par ses parents. Après deux années de tergiversations administratives et judiciaires, des travailleuses familiales furent mandatées pour se rendre au domicile. Elles connaissaient l'existence d'Éric mais ne le voyaient jamais. Éric était confiné seul dans son lit, un étage plus haut. Elles l'entendaient qui s'agitait au-dessus.

Sa mère accepta deux ou trois fois qu'il soit descendu et qu'il leur soit présenté. Il ne savait pas rire et jetait des regards vers sa mère avant de faire quoi que ce soit. Il semblait la craindre. Elle lui refusait d'ailleurs ses genoux et les gestes affectueux qu'il allait quémander. Elle répondait par avance à l'étonnement perceptible des visiteurs en affirmant qu'Éric était trop grand pour recevoir encore des câlins. Elle l'appelait alors « le Mongol » ou « le Gros », ce qui était saugrenu face à un enfant qui avait mal profité en raison de son manque affectif.

L'enfant extériorisa à l'occasion de ces rencontres une avidité relationnelle massive dont le caractère incontrôlable exaspérera sa mère – un bel exemple de tentative de connexion sélective avortée. En effet, par la suite, il se mit à cogner son lit dès qu'il sut reconnaître les bruits signalant la visite hebdomadaire de ces étrangères. Face à ces manifestations, sa mère en vint à refuser qu'il redescende, pour qu'il perde cette habitude naissante, et l'enferma à clef dans sa chambre. Les parents troquèrent aussi son lit en bois, d'où il réussissait à s'échapper et dont il parvenait à exploiter la résonnance du matériau pour se signaler, contre un lit de toile qu'il ne pouvait plus escalader pour en sortir. Et raffinement suprême, il en obtenait moins de bruits. À croire que ses parents avaient compris pourquoi les dictatures sont si friandes de la censure sur Internet ou adeptes des coupures d'accès à la Toile.

Les deux premières années de vie d'Éric furent celles des connexions impossibles et cette troisième année, jusqu'à son admission à l'hôpital, celle des connexions interdites.

Sans connexion affective disponible, le bébé se construit en circuit fermé. Il est alors monté en boucle

Éric nous arrive à la pouponnière dès sa sortie du service de pédiatrie.

C'était un enfant étrange.

Il avait une peur panique des soins et du bain mais ne faisait aucune attention à sa propre protection. Il chutait, se cognait, se faisait mal mais paraissait insensible à la douleur. Il ne réclamait jamais ni bisou ni câlin, pleurait sans bruit, geignait sans larmes et éclatait de rire sans raison. Il était très stressé de rentrer dans sa chambre et ne s'endormait qu'épuisé de fatigue. Les premiers temps, des visiteurs se seraient crus dans un orphelinat roumain du temps de Ceaucescu en le voyant se balancer dans son lit. C'est l'une des premières habitudes bizarres qu'il abandonna, aidé en cela par la présence d'une éducatrice qui lui posait alors une main sur l'épaule. Dans ces instants d'extrême solitude intérieure, il se montrait sensible à la sollicitude humaine.

Nous observâmes dès son admission qu'il recherchait peu les interactions avec les humains et le monde du vivant mais qu'il se montrait fasciné par l'électronique, les fils, les branchements, les diodes, les boutons électriques et les touches on-off des appareils ménagers. Il errait en se butant dans les éducatrices sans les voir, marchait sur le corps des bébés qui rampaient sans même les remarquer mais se précipitait dès qu'il en trouvait l'opportunité pour manipuler les touches du micro-ondes, la télécommande du téléviseur, tripoter les touches du téléphone. S'il entendait le bruit mat et ténu de l'ouverture de la porte du réfrigérateur, il courait pour assister à l'allumage et à l'extinction de l'ampoule d'éclairage intérieur. Son langage très limité ne s'adressait qu'à lui-même. Il n'utilisait que trois sons qu'il répétait hors de tout contexte associé. Ce n'étaient que des mélodies monotonales : l'alarme répétitive d'un camion qui recule, la tonalité continue d'une ligne de téléphone fixe et le bip-bip d'un numéro occupé. Il donnait parfois l'impression qu'il parlait mais en gardant sa bouche fermée.

Chaos intérieur, chaos extérieur

Il passa les deux premières années à la pouponnière, à détruire sa chambre, dont il démantibula un à un tous les éléments, lit, table de nuit, chaise, placard, peinture, jusqu'à la fenêtre et les prises électriques.

Malgré des réparations régulières, Éric était parvenu à lui donner un aspect de mitard, ce qui pouvait laisser penser le pire sur la qualité de la prise en charge dans cette pouponnière. Seul le matelas résista. Le spectacle de cet enfant en si mauvais état, qui occupait un lieu si désolé, nous valut quelques remarques peu amènes nous reprochant le manque de soins que nous aurions eu de sa personne. Cette pièce ne devait pas seulement lui rappeler un lieu de réclusion mais devait aussi symboliser le vide et le chaos de son intérieur psychique. Peu de personnes comprennent la nature et l'étendue du champ de ruines intérieur qui habite ces enfants non connectés, à l'image de cette chambre désolée.

Chaque bébé se fait une représentation du monde qui l'entoure, comme Fiona avec le pendentif de sa grand-mère, pour en maîtriser les défauts. C'est un monde rêvé : « Maman n'est pas là, mais elle arrive quand je le désire. » « Ce que je n'ai pas maintenant, je l'aurais tout à l'heure car maman pense à moi. » Et ce monde rêvé fonctionne bien quand les connexions affectives sont d'une qualité suffisante pour ne pas trop décevoir ces attentes. « J'ai faim. Maman dit : "Tu as faim ?" Elle me nourrit. » « Je n'ai pas envie d'être seul. Maman dit : "Ne pleure plus". Elle me prend contre elle. » « Je me réveille. Je veux voir maman. Et je la fais apparaître et je souris tant je suis fier de savoir la faire apparaître ainsi à chaque fois. » « Je suis magique. » « Je suis incapable de me déplacer seul, de me nourrir seul, de survivre seul mais je suis le créateur du monde car je fais advenir ce dont j'ai besoin. » « Je pense à la chose et hop ! elle arrive. » « Je suis un bébé magique ! »

Les pouvoirs magiques de la pensée du bébé

Ainsi pour un bébé bien entouré, chaque chose du monde est à sa place. Maman avant la fin d'un léger cri. Papa quand je pleure la nuit. La tétine au bout du biberon. Le matelas sur le lit. La chaise à côté de la table. Le rayon du soleil sur le mur.

Pour Éric, les choses du monde n'étaient pas connectées entre elles. Pour lui, penser ne faisait rien apparaître.

L'ordonnancement du monde n'avait aucun sens, les objets de sa chambre n'en avaient pas davantage. Quelle différence y avait-il pour lui entre un placard entier et un placard en morceaux. Aucune. Il ne cassait pas les choses, il les laissait revenir à leur état originel de soupe primitive.

Il réussit un jour pendant le temps de sieste à se faufiler dehors en soulevant le volet roulant de la fenêtre pourtant assez haute. Panique face à la chambre désertée. Incrédulité. Comment a-t-il pu sortir ? Où est-il parti ? Branle-bas de combat. Il fut retrouvé à l'opposé de l'établissement, scotché à l'écran lumineux de la photocopieuse. « J'allume, j'éteins. J'allume, j'éteins. J'allume, j'éteins. J'allume, j'éteins. Je ne maîtrise rien du monde, mais je suis le maître du bouton de la photocopieuse. »

Car cette lumière-là s'allume et s'éteint quand il la commande. Personne ne venait répondre à ses besoins dans sa chambre chez ses parents. Éric n'avait pas encore compris que cela pouvait être différent avec d'autres humains.

Éric passe de très longues heures à ouvrir et fermer une porte. Il en écoute le son, observe son mouvement. Il est fasciné par les borborygmes de l'eau qui s'écoule dans le tuyau d'évacuation du lavabo. Les siens de gargouillis l'inquiètent beaucoup : « Veux pas de grenouilles dans mon ventre. »

Éric chipe la télécommande de la télévision. Il la dépiaute et en extrait des bâtonnets noirs, les batteries. Il devient fasciné par les piles et cherche à démonter tous les objets susceptibles d'en contenir. Un scarabée mort sur le seuil de la porte : « A pu pile ? » Un livre sonore : l'histoire ne lui parle pas, ne l'intéresse pas, il veut voir la pile. Un dessin animé lui est proposé : il semble d'accord, mais c'est pour faire entrer et sortir le disque de la platine à l'infini.

Il est à l'affût de toute lumière à éteindre ou à allumer, prêt à fuir pour aller manipuler des rallonges électriques à brancher et à débrancher. À la jardinerie, devant les aquariums, il est captivé par les pompes qui bullent et ne s'intéresse pas au spectacle multicolore et chatoyant des poissons.

7 – Éric, enfant électronique

Des êtres vivants, il ne perçoit que des aspects partiels tout comme la pile n'est qu'une partie de la télécommande. Certains jours, Bernard, notre jardinier, l'emmène voir les poules. Éric ne cherche pas à les attirer en leur donnant des graines qui lui sont proposées. Il n'a qu'une idée, qui l'obsède : leur prendre une plume, qu'il leur arrache. Après la pile, la plume. Malgré de multiples mises en garde infructueuses, nous décidâmes de protéger les poules. Terminé les sorties au poulailler.

Éric regarde un bébé, nouvel arrivé : « Elle est où la pile ? » Éric mange une crêpe, il voit la tétine dans la bouche du bébé, l'enlève et fourre sa crêpe à la place sans même le regarder ou lui dire un mot. Il est vraisemblable qu'il a lui-même été gavé ainsi.

Devant un tel dérèglement du comportement, des examens médicaux furent programmés pour éliminer une cause liée au cerveau. Éric alla donc passer une radiographie du crâne. Il devait rester absolument immobile. Tâche improbable que de parvenir à l'obtenir d'un enfant aussi insaisissable. Pourtant Éric se tint sans bouger, comme une statue de sel, suscitant l'admiration et l'étonnement des deux dames radiologues devant sa sagesse et son obéissance. « Qu'est-ce que tu es mignon. » C'est vrai qu'en plus, c'est un bel enfant. Elles n'avaient pas saisi qu'Éric s'était scotché les yeux sur la petite lampe rouge qui clignotait face à lui. Poursuivant dans ce quiproquo et voulant le récompenser de sa performance en sagesse, elles l'invitèrent à les rejoindre derrière les vitres plombées. « Viens voir ta photo ! » Éric fut fasciné par les écrans lumineux et les pupitres couverts de boutons. Rapide, agile et insaisissable, il réussit à tout dérégler en moins de deux. Les dames ne comprirent rien du tout à ce changement soudain.

Ne pas céder au chaos : réparer c'est soigner

Quand nous nous désolions de son état et de l'état dans lequel il réduisait les choses, il répondait : « Gildas va réparer. Gildas va réparer. » Et Gildas, l'homme aux mains habiles, venait, réparait, rafistolait, remontait et remédiait à tout, sans se fâcher. Casser sa chambre et le reste faisait apparaître Gildas. Magique !

Cette constance dans les soins apportés à Éric et aux choses qui entouraient Éric finit par payer. Gildas lui fit en sus la surprise de lui construire un lit en forme de voiture. Un ouvrage magnifique, une pièce unique : Le lit d'Éric – les pieds en forme de roues furent solidement fixés au sol, le bas de lit simulait une calandre. Dès lors Éric parvint à habiter ce lieu et il invita des objets à venir y vivre avec lui. Enfin, cette pièce ne ressemblait plus à une cellule carcérale déglinguée mais à la chambre d'un petit garçon. Il me convia, tout fier, à venir la visiter. « Gildas ! Lit ! Voiture ! » J'entrai, j'admirai, mais lui s'était déjà envolé.

Nous pensions qu'il commençait aussi à se construire un monde intérieur, qui émergeait progressivement d'un champ de ruines. À 5 ans passés, son éducateur lui racontait une histoire illustrée, et Éric s'étonna de la situation burlesque de cochons grimpés dans un arbre. Éric n'était pas d'accord avec l'image : « C'est pas normal. Les cochons c'est par terre. Pas dans arbres. »

Il allait avoir 6 ans et réussissait enfin à s'interroger sur sa place dans le monde et à se préoccuper de savoir si quelqu'un l'attendait quelque part. Voyant d'autres enfants partir en famille d'accueil, il posa la question à notre chef de service. « Moi vais aller où après ? Moi veux une maison. Moi famille d'accueil. »

Souhait très difficile à satisfaire dans la situation des enfants aussi abîmés qu'Éric, étant donné la gravité de leurs troubles du comportement. Ils peuvent détruire l'équilibre d'une famille aussi sûrement qu'Éric avait ruiné sa chambre.

Un bébé du placard peut-il survivre ?

Un bébé peut-il croître et se développer sans connexions avec les humains ? C'est une interrogation très ancienne à laquelle l'histoire fournit des réponses très contrastées selon les époques. Jacques IV d'Écosse (1473-1513), croyait que le langage venait de façon spontanée aux enfants. Il imagina donc un moyen simple pour vérifier quelle était la langue originelle de l'humanité, une langue naturelle et universelle qui aurait existé avant Babel. En réalité, il ne fit que reprendre les expériences antérieures réalisées par d'autres souverains qui avaient cherché à découvrir en quelle langue s'exprimeraient des nourrissons après deux années d'un régime strict les privant de toute parole humaine.

À l'époque de Jacques IV, l'histoire prétendit que ces bébés élevés par des nourrices muettes auraient parlé l'hébreu.

Avant lui, Frédéric II de Hohenstaufen (1194-1250) empereur du Saint Empire romain germanique et roi de Sicile, avait tenté la même expérience avec quarante nourrissons, qui tous moururent !

« [Frédéric II] voulut faire une expérience pour savoir quels seraient la langue et l'idiome des enfants, à leur adolescence, sans qu'ils aient jamais pu parler avec qui que ce fût. C'est ainsi qu'il ordonna aux nourrices d'allaiter les enfants […] avec défense de leur parler. Il voulait en effet savoir s'ils parleraient la langue hébraïque, qui fut la première, ou bien la grecque, ou la latine, ou l'arabe ; ou s'ils parleraient toujours la langue des parents dont ils étaient nés. Mais il se donna de la peine sans résultat, parce que les enfants ou les nouveau-nés moururent tous. » (Salimbene de Adam de Parme, *Cronaca* [Chronique], XIIIe siècle.)

Jacques IV et Frédéric II, tous deux grands érudits, avaient sans doute lu Hérodote, et avaient tenté de reproduire l'expérience du pharaon Psammétique Ier (vers 663-609 av. J.-C.) : « Avant le règne de Psammétique, les Égyptiens se croyaient le peuple le plus ancien de la terre. Mais quand Psammétique devint roi, il voulut savoir quel peuple méritait vraiment ce titre ; et depuis ce temps, les Égyptiens pensent que les Phrygiens les ont précédés, s'ils sont eux-mêmes plus anciens que tous les autres peuples. Toutes les recherches de Psammétique pour découvrir un moyen d'apprendre quel peuple était le premier apparu sur terre étant demeurées vaines, il imagina ce procédé : il fit remettre à un berger deux nouveau-nés, des enfants du commun, à élever dans ses étables dans les conditions suivantes : personne, ordonna-t-il, ne devait prononcer le moindre mot devant eux ; ils resteraient seuls dans une cabane solitaire et, à l'heure voulue, le berger leur amènerait des chèvres et leur donnerait du lait à satiété, ainsi que tous les soins nécessaires. Par ces mesures et par ces ordres, Psammétique voulait surprendre le premier mot que prononceraient les enfants quand ils auraient dépassé l'âge des vagissements inarticulés. Il en fut ainsi ; pendant deux ans, le berger s'acquitta de sa tâche, puis un jour, quand il ouvrit la porte et entra dans la cabane, les enfants se traînèrent vers lui et prononcèrent le mot bécos, en lui tendant les mains, c'est, chez les Phrygiens, le nom du pain. Les Égyptiens s'inclinèrent devant une pareille preuve et reconnurent que les Phrygiens étaient plus anciens qu'eux. »

Mais d'autres pensèrent que les nourrissons n'avaient fait, avec ces cris, qu'imiter le bêlement des chèvres.

Les chroniques nous rapportent une dernière expérience de ce type, laissée à la postérité sous le nom de Gang Mahal (« la maison des idiots »). Elle fut tentée par Akbar (1542-1605), le Grand Moghol. En août 1582, au terme de deux années d'observation, il en tira la conclusion qu'aucun des nouveaux-nés qu'il avait fait priver de la musicalité du langage humain n'avaient reçu le talisman de la parole et qu'en plus, ils étaient devenus idiots[11].

Quarante morts, des idiots, d'autres qui chevrotent et quelques-uns qui auraient parlé hébreu ou phrygien, ce qui reste douteux.

Résultats dramatiques.

---

11. CATROU (François), *Histoire générale de l'empire du Mogol depuis sa fondation, sur les mémoires portugais de M. Manouchi,* 1708.

8 – Il n'est pas de mère seule

L'allégorie maïeutique des poupées russes

De retour de Sibérie, des amis m'ont offert sept poupées russes de taille décroissante, emboîtées les unes dans les autres. C'est en travaillant à ce livre, face à cette ribambelle de femmes enceintes alignées sur l'étagère de ma bibliothèque, que j'en ai compris le symbolisme profond. Elles me regardaient d'un air étonné à chaque fois que je relevais les yeux de mon ordinateur. Elles semblaient toutes me tenir le même langage, même la petite dernière : il n'est pas de mère seule. En effet, une mère a besoin d'être entourée pour pouvoir entourer son enfant. Il lui est absolument nécessaire d'avoir des supports affectifs de qualité, quels qu'ils soient, partenaire ou père, relations amicales, mais aussi le support réel ou intériorisé des générations précédentes. Si ces soutiens fonctionnent, cette mère sera allégée du souci d'elle-même. Elle pourra alors se consacrer à son bébé qui saura venir se connecter à elle.

Ce sont là encore des situations exceptionnelles par leur configuration qui peuvent nous rendre lisible ce phénomène, tandis que dans la vie courante des familles banales, où cela fonctionne sans même que nous le remarquions, nous en avons moins la visibilité.

Kelly, enfant négligée d'une mère qui a elle-même été négligée

Kelly, 2 ans et demi, vient d'être admise à la pouponnière. Elle parle mal et se fait comprendre par signes. Elle est handicapée par un embonpoint sérieux et n'est pas avantagée par ses yeux qui louchent, surtout un. Elle est sur le point de perdre la vision de cet œil qui fait n'importe quoi. Ses vaccinations ne sont pas à jour. Elle fait colère sur colère, sans raison intelligible. Elle n'a connu que les pâtes, le riz, les sucreries et la nourriture industrielle bas de gamme. Retard de langage, surpoids, risque de cécité non pris en charge, troubles du comportement. Le tableau d'une enfant négligée sur le plan physique et psychologique dont la santé n'est pas bonne et qui n'a bénéficié d'aucun suivi médical cohérent.

Je reçois ses parents. La maman, dans un récit entrecoupé de pleurs silencieux, m'explique qu'elle comprend bien pourquoi le juge a pris la décision de placer Kelly.

« C'est un crève-cœur de la savoir au foyer mais c'était la seule solution. Nous étions tellement enfumés par les joints, du matin au soir, du soir au matin, qu'on ne s'occupait même plus du minimum. Kelly, elle a dû respirer pas mal de vapeur de hasch. Les courses, se lever le matin, les rendez-vous chez le médecin, on oubliait tout, on faisait plus rien. Le placement de Kelly, ça été un électrochoc. Depuis on a décidé d'arrêter le shit. »

Le père, jeune encore mais déjà bien ravagé, opine du bonnet et ajoute :

« Et puis ça pouvait plus continuer comme ça. On dépensait la moitié du budget en joints. Ça nous est même arrivé de dealer un peu. Ça a mal tourné et on a dû déménager. Ça craignait trop avec les gros dealers. »

La maman pleure de nouveau :

« En pleurs ou en colère, Kelly, elle m'écoutait jamais. Quand elle se faisait mal, je n'arrivais pas à la calmer et je n'arrivais pas non plus à la calmer si elle faisait ses caprices. J'avais beau dire n'importe quoi, c'est comme si j'étais une voix dans le poste de radio. Elle entendait rien. C'était le cirque à la maison, les enfants faisaient ce qu'ils voulaient. Avec son petit frère, ils se battaient et ils se mordaient comme des chiots. Comme on était tout le temps dans le coaltar, on pouvait pas les en empêcher. Des fois Kelly restait des heures toute seule dans son coin à la maison. Je sais pas ce qu'elle faisait. Nous on planait. Jamais j'aurais pensé que j'arriverais aussi bas. Mes parents, ils se foutaient de moi. À 13 ans, j'étais à l'école qu'un jour sur trois et à 14 j'y suis plus allée du tout. C'est là que j'ai commencé à fumer des joints. Que j'aille plus à l'école et que je me drogue, ça leur faisait rien. Ils ont pas bougé le petit doigt, ils ont rien fait. Et lui, le père de Kelly, c'est pareil. Sauf que lui, il a commencé à fumer du hasch à 11 ans.»

Relations difficiles entre Kelly et ses parents

Les premières retrouvailles s'avèrent conflictuelles entre Kelly et ses parents. La maman était débordée par ses propres sentiments. Elle était dans l'attente empressée de revoir sa fille et dans l'appréhension terrible d'avoir à gérer ses colères. Troublée par cette confusion interne, elle ne parvenait ni à accueillir, ni à reconnaître, ni à canaliser les émotions de la petite.

Ces visites se déroulaient toujours suivant le même scénario.

Kelly pleurait en voyant arriver ses parents. Était-ce le soulagement de les revoir ou l'angoisse de savoir dans quel état ils seraient? Larmes de joie et sanglots d'inquiétude. Si les larmes sont parfois une lotion apaisante sur les douleurs de l'existence, celles-là avaient l'effet du vinaigre sur une plaie.

La maman, ses propres sentiments embrouillés, n'entendait rien à ces pleurs et n'y voyait que caprice, distance et refus.

«C'est de me voir qui te fait pleurer? C'est bien la peine! ça fait chaud au cœur!»

Néanmoins la maman tentait ensuite de se ressaisir. Elle changeait de ton. Sa voix se faisait apaisante. Elle cherchait à prendre Kelly pour la câliner et la rassurer. Elle essayait de manifester son empathie.

« Allons, calme toi ! Je suis contente de te voir. Viens faire un câlin à maman. »

Peine perdue. Kelly restait enfermée dans son trip et partait en vrille. Si la maman faisait un pas vers elle, Kelly poussait un cri sourd, se retournait et courait se précipiter dans les bras de son éducatrice. Le père, qui restait plutôt en retrait, tentait alors de reprendre la situation en main.

« Kelly ! Kelly ! Viens voir papa ! »

Elle trépignait dans les bras de son éducatrice et ne voulait plus entendre ses parents. Certains jours c'était mieux. Il était difficile de gérer ce micmac d'interactions familiales contrariées.

L'attention portée à l'enfant soigne ses parents

L'état de santé désolant de Kelly nécessitait de nombreux rendez-vous médicaux. Ses parents furent conviés à y assister. Tandis qu'ils oubliaient auparavant de se soumettre à ces obligations dues au bien-être de leur enfant, ils y furent toujours assidus et à l'heure, qu'il grêle, qu'il neige, qu'il pleuve ou qu'il vente.

C'est Noëlle, l'infirmière de la pouponnière, qui conduisait Kelly à ses consultations à l'hôpital. De ce fait elle était aussi toujours présente auprès des parents dans ces retrouvailles régulières avec leur fille, rythmées par des soins qu'ils n'avaient pas assurés en temps opportun.

C'est le jour des examens pour ses yeux.

Dans la salle d'attente, la rencontre entre Kelly et ses parents embraye sur les mêmes rails. Envie de se retrouver et récriminations réciproques.

Noëlle parle doucement à Kelly et l'invite à saluer ses parents. Mais l'univers hospitalier et les enjeux de la consultation n'arrangent rien. Kelly perçoit l'angoisse de sa mère et s'en défend. Noëlle s'est accroupie pour être à la hauteur de Kelly et l'encourager à aller vers ses parents. Kelly les regarde un instant puis cherche à se blottir dans le cou de Noëlle. Celle-ci doit contenir la poussée de la petite qui s'arc-boute contre son épaule. Elle manque d'être renversée. Noëlle relativise, essaie d'apaiser Kelly et de rassurer ses parents. À l'invite de son père, à demi penché vers elle, Kelly se retourne à moitié et lui jette un rapide coup d'œil. Noir. Kelly ne rejette pas tant ses parents que leur anxiété et leur maladresse.

La consultation est difficile pour la maman qui retient ses pleurs quand elle comprend que Kelly est sur le point de perdre l'usage de son œil.

« Je savais bien qu'on aurait dû faire quelque chose quand elle était plus petite. Y a-t-il encore un espoir ? »

L'ophtalmologue n'est pas rassurant.

« Oui, mais ce n'est pas gagné. La situation est critique. Elle devra rester plusieurs mois avec l'autre œil caché par intermittence. Celui-là doit se remettre au travail. L'obturation d'un œil, c'est très inconfortable et cela suppose un enfant coopérant. Avec une enfant capricieuse comme votre fille, ce sera très compliqué de le lui faire accepter. »

Néanmoins, petit à petit, Kelly, profitant du cadre éducatif apaisant de la pouponnière, alla mieux, ses parents furent moins stressés et leur relation s'améliora. La petite fit surtout de réels progrès en langage et sa mère en fut très fière. Elle le lui signifia, compliment qui fit du bien à Kelly. Sans doute un début de sortie du cercle vicieux des reproches incessants. Sa mère fit ensuite attention à remarquer ses progrès et félicitait sa fille qui le lui rendit bien en étant beaucoup plus proche d'elle.

La maman nous dit un jour :

8 – Il n'est pas de mère seule

« Je suis fière maintenant, Kelly m'écoute lors des visites. Elle m'obéit plus souvent. Elle peut être très gentille. Je n'avais pas connu ça jusque-là. Et puis je me sens vraiment maman car j'arrive à calmer ma fille dans mes bras quand elle a du chagrin, ce que je ne réussissais jamais avant. »

Mais elle restait tiraillée entre la souffrance de voir peu ses enfants et la satisfaction de les savoir enfin bien grandir. Elle avait pris conscience de ses manquements antérieurs et de leurs conséquences.

Réorganiser les poupées russes dans le bon ordre

Les divers soins médicaux furent autant d'occasions pour les parents de suivre l'évolution de Kelly. Ils s'attachèrent à Noëlle, l'infirmière qui était à chaque fois là, toujours constante. Grâce à sa présence, ils furent rassurés et participèrent avec intérêt aux différentes consultations, ce qu'ils n'auraient jamais réussi à faire seuls. Ils furent soulagés de la bonne organisation des soins et se sentirent gratifiés d'être reconnus comme parents de Kelly en y étant associés.

Un petit épisode presque cocasse en dit long sur ce point et explique comment fonctionne le principe des poupées russes.

C'est le jour d'aller choisir les lunettes chez l'opticien. Une démarche importante car Kelly doit absolument porter son obturation oculaire avec régularité. Tout ce qui peut y contribuer est essentiel et le cérémonial du choix des montures y prend une valeur stratégique particulière dans ce contexte d'une enfant difficile.

Le modèle sélectionné et la couleur choisie, les parents sont tout aussi excités que Kelly par cet achat. De vrais enfants. Il faut remarquer que cet attribut posé sur le nez de leur fille est désormais la preuve tangible, ce que tout observateur peut vérifier *de visu*, qu'elle est enfin bien soignée. La maman en est extrêmement fière. Elle s'est approprié cet aboutissement comme son œuvre de maman, il est vrai bien aidée et soutenue dans cette tâche par la présence discrète mais persévérante de l'infirmière.

Le père et la mère serrent avec chaleur la main de l'opticien, un peu étonné de ces effusions inhabituelles, puis étreignent les mains de Noëlle et la remercie mille fois de tout ce qu'elle a fait pour Kelly. Jusqu'alors la maman n'avait pas réussi à être une mère digne et là, par le miracle des lunettes, elle se voit mère aux yeux des autres. Rien ne garantit pourtant à cet instant le succès du traitement.

Lors du trajet de retour, Noëlle fut témoin d'une petite scène qui montra à la fois combien cette maman avait pris conscience de son rôle de mère mais aussi du besoin soudain qu'elle eut de partager cette émotion avec la génération précédente. La mère de Kelly fut alors submergée par le devoir impérieux de témoigner de ses succès auprès de sa propre mère et de sa belle-mère.

Elle alluma son portable et chercha à appeler sa propre mère, qui ne répondit pas.

Il lui fallut trouver quelqu'un d'autre pour dire sa fierté. Ça ne pouvait pas attendre !

À défaut, elle appela sa belle-mère – pas plus fiable que sa mère, mais là n'est pas le point essentiel de notre histoire – à qui elle expliqua comme si c'était un événement d'importance capitale :
« J'ai emmené Kelly chez l'ophtalmo parce qu'elle louchait. Elle doit porter des lunettes tous les jours. On lui a choisi des belles montures. Ses yeux vont s'améliorer. Je suis très contente qu'on ait fait ça. Il était grand temps. »

Cet exemple résume assez bien le principe des poupées russes, cet emboîtement des générations. Dans le cas de Kelly, la maman n'avait bénéficié d'aucun soutien familial. À l'absence criante de préoccupation des grands-parents de Kelly pour leur propre fille, s'est rajoutée l'incapacité du père à la soutenir dans son rôle de mère, si ce n'est en l'approvisionnant avec régularité en joints. En l'absence de tout support, n'ayant pas connu ce qu'était l'attention maternelle pour elle-même, elle n'a pas été en mesure d'assumer son rôle de mère vis-à-vis de Kelly.

Vous ne pouvez pas parler avec naturel une langue dans laquelle vous n'avez pas été baigné.

Que se transmettent les humains de génération en génération ?

Il est définitivement admis aujourd'hui que l'instinct maternel n'existe pas dans l'espèce humaine. La fonction maternelle, dont les divers aspects (l'affection, l'attention, les soins qu'une mère doit apporter à son bébé) peuvent être exercés tout aussi bien par le père, est une compétence acquise et transmise. Cette transmission n'est pas de l'ordre de l'intellect ou d'un apprentissage mais résulte d'une expérience vécue. Les livres, les enseignements ou les démonstrations sont inopérants à en transmettre l'essence. Ce sont des réminiscences d'émotions et d'expériences qui datent de bien avant les mots. C'est une compétence qui s'acquiert au contact des autres humains par perméabilité émotionnelle au plus jeune âge de la vie. En effet, chacun en reçoit les stigmates psychiques, tel un dot[12] psychologique, pendant la période de connexion affective très particulière des dix-huit premiers mois de l'enfant. Ce dot affectif se caractérise par l'expérience de l'empathie d'autrui, par le partage des émotions et par le sentiment de sécurité qui en découle pour le bébé. C'est vital pour le bébé d'en faire l'expérience. C'est le bien le plus précieux que se transmettent les humains. De génération en génération.

---

12. J'utilise volontairement ce terme au masculin, comme il l'a été en vieux français (jusqu'au XVIIe siècle), pour distinguer cette notion à la fois du don, de la donation et de la dotation et pour lui donner la dimension d'un héritage reçu d'une autre génération, tout en le différenciant, par l'usage du masculin, des transmissions traditionnelles de biens matériels lors des unions matrimoniales, qui existent toujours, sous des formes nouvelles et variées, à l'époque contemporaine.

Dans la situation familiale de Kelly, les professionnels qui sont intervenus, et en particulier l'infirmière, se sont substitués un temps aux membres déficients de l'entourage, auprès de Kelly d'abord, puis auprès de sa mère ensuite. Ils ont en quelque sorte occupé, un temps, une place de tuteurs grand-parental et parental. Cette prothèse, une substitution temporaire, a été opérante. Les professionnels ont joué les poupées russes et se sont d'abord préoccupés de Kelly, puis en cascade, ont soutenu la mère, qui ensuite a pu porter l'enfant. La mère, grâce à ce soutien, s'est un peu restaurée dans sa fonction maternelle et elle en a tiré fierté. La fierté est la première des émotions maternelles. Et elle a dû, de façon impérative, partager cet émoi. C'est alors qu'elle a tenté de rétablir, avec son téléphone, les connexions naturelles qui auraient dû exister dans sa famille. Tentative illusoire sans doute mais qui dévoile que cette maman s'était, grâce au « portage » des professionnels, repositionnée dans la succession des générations à sa place de mère vis-à-vis de Kelly. La ribambelle sur l'étagère s'était réorganisée avec quelques intruses, mais bien à propos, dans la collection.

C'est ce qui importait pour cette petite fille. Il était essentiel que Kelly reçût l'expression des émotions d'une mère fière de l'être, même si elle n'était pas en capacité de la prendre en charge au quotidien.

Chaque génération doit soutenir et contenir la suivante. Quand cela n'existe pas, ce sont les solidarités, amoureuse, amicale, sociale, professionnelle qui peuvent et qui doivent s'y substituer. Elles portent chacune en soi le germe et la dimension de la sollicitude pour l'autre, qui est l'essence même de la fonction maternelle.

Il n'est pas de mère seule.

Un des paradoxes de cette histoire réside dans le fait qu'un placement d'enfant, bien accompagné par des professionnels compétents, peut permettre à des parents de devenir fiers d'être parents, alors même qu'ils sont séparés de leur enfant.

Rayan et sa jeune mère

Une autre histoire, celle de Rayan, raconte cette nécessité d'avoir connu une affiliation positive à des aînés pour être en capacité de devenir borne affective pour son enfant.

À la naissance de Rayan, sa mère n'avait que 16 ans. Sa grand-mère estima que sa fille était incapable de l'élever et décida de s'en charger. Elle accueillit sa fille et son petit-fils chez elle et prit les choses si bien en main qu'elle évinça petit à petit la mère de l'enfant. Elle finit par la mettre à la porte de chez elle avec interdiction de revenir traîner dans le coin. La mère de Rayan s'en ouvrit aux services sociaux qui parlementèrent sans succès avec l'aïeule, qui leur ferma la porte au nez. Ils s'en remirent ensuite au juge des enfants. Quelques mois plus tard, celui-ci ordonna le placement de Rayan à la pouponnière, après intervention de la maréchaussée chez la grand-mère. Le juge précisa dans son ordonnance qu'il donnait mission à la pouponnière de réaliser des observations détaillées sur la capacité de cette jeune fille à prendre en charge son fils et qu'il attendait un rapport précis sur ce point.

La maman, appelons-là Giovanna, à cause de son jeune âge, mettait tous les adultes dans le même sac : des persécuteurs de la jeunesse et des voleurs d'enfants. Elle se présentait comme une ado rebelle, désinvolte, tantôt mutique, tantôt insolente, tutoyant alors avec des mots verts et durs. Jamais elle n'aurait lâché un sourire ni même un regard aux professionnels qui avaient pris le relais de sa mère dans le rapt de son fils. Rien que des vendus et des collabos. Qu'on lui rende son enfant, un point c'est tout.

Rayan était un petit garçon qui s'était bien développé mais qui était triste et apathique. Il avait le regard vide et ne laissait transparaître aucune émotion. Il ne connaissait pas beaucoup sa mère dont il avait été séparé plusieurs mois. Giovanna ne savait pas plus comment faire avec lui. Et l'oracle définitif de la grand-mère sur sa supposée incapacité à être maman projetait une ombre noire et lourde sur leurs relations débutantes. Toujours, de bonnes et de mauvaises fées s'épanchent sur les mères avant de se pencher sur les berceaux.

Débuts houleux et tendus

Giovanna se présenta pour voir Rayan à la pouponnière. Notre chef de service lui proposa un court entretien pour préparer ces retrouvailles et organiser le cadre des visites, horaires, régularité, support d'un repas, d'une activité. Le juge n'avait pas accordé un blanc-seing à la maman. Il n'était pas souhaitable pour Rayan qu'à l'imposture d'un rapt familial succèdent l'insécurité et l'anarchie dans son quotidien. Giovanna se met en colère et envoie Anna, notre chef de service, sur les roses. Elle veut simplement être avec Rayan et qu'on lui fiche la paix. Et venir quand elle l'a décidé.

— Du cadre ! Du cadre ! Est-ce que j'ai une gueule à être encadrée ?

— J'entends bien ce que vous voulez dire, mais mettez-vous à la place de votre fils. Il a besoin de connaître à l'avance quand vous serez là et quand vous n'y serez pas. Les puéricultrices pourront alors le rassurer. Maman va venir dans deux dodos, dans un dodo, après la sieste. Sinon, il sera toujours dans l'attente et l'inquiétude. Maman viendra ? Maman viendra pas ? Et nous, que pourrons-nous lui répondre sans lui mentir ? Bien sûr Rayan, là, maintenant, c'est le jour et l'heure de la visite de maman mais aujourd'hui elle a peut-être décidé que c'était demain. Votre mère vous a imposé et a imposé à Rayan sa tyrannie et vous voudriez maintenant soumettre votre fils à votre caprice. Le juge nous a donné mandat de vous aider à vous retrouver avec Rayan et ce n'est pas vous autoriser et nous autoriser à faire n'importe quoi.

Giovanna sort en claquant la porte.

Anna va demander de l'aide à une de ses collègues, Danny, pour qu'elle prenne le relais.

133

« Je crois bien qu'avec moi, c'est terminé. Je suis grillée. Je suis définitivement classée dans la même catégorie que sa mère. » Danny, qui s'occupe de Rayan au quotidien, sort parler à la maman.

« Bonjour ! J'ai prévenu Rayan de votre venue, il vous attend. Ce serait dommage de le décevoir. »

Grognement et bouderie.

Giovanna se décide enfin à venir voir son fils avec Danny. Giovanna et Rayan ne savent pas communiquer entre eux. La visite est très pauvre et Danny n'ose pas intervenir davantage de crainte de braquer un peu plus la maman. Il fallait encore prendre le temps de l'apprivoiser.

Savoir lire à l'envers ce qui se montre

Visite suivante.

Giovanna et Rayan ne savent pas quoi faire ensemble. La maman textote et Rayan joue dans son coin. Elle ne lui parle pas et lui ne va pas vers elle. Si Danny a le malheur d'oser émettre une petite idée ou un léger conseil, Giovanna la tacle grave. Rayan recherche plutôt la présence de Danny que celle de sa mère, ce qui ne semble pas la froisser. Elle sort fumer dehors sans prévenir Rayan.

Mais Giovanna revenait avec régularité les jours dits, pour ces rencontres bizarres où, selon les apparences, rien ne se passait. Danny restait là, tout en discrétion.

Dans ce déroulé lisse, soudain une colère de Rayan. C'était en toute fin de visite juste au moment où sa mère le raccompagnait dans son unité de vie et lui adressait un au revoir peut-être plus empathique qu'à l'habitude. En effet, après les autres rencontres, elle repartait généralement sans prévenir, d'un instant à l'autre. Cette fois-ci Rayan refusa de répondre à l'au revoir de sa mère. Au contraire il la frappa fort de la main, se débattit dans ses bras et se roula par terre. Giovanna, décontenancée par cet éclat incompréhensible, s'effondra elle aussi et s'isola à l'écart des enfants. « À quoi ça sert que je vienne aux visites ? Il n'en a rien à foutre de moi. Il ne se tourne jamais vers moi. Il joue bien plus avec vous qu'avec moi. Il n'a pas du tout besoin de moi. Vous le savez bien, c'est vous qui lui parlez et c'est vous qu'il écoute. Et si j'essaie d'être plus attentive, de lui dire au revoir gentiment, il fait une colère. Vous voyez bien. Il me tape, il me rejette. Il ne m'aime pas. Il ne veut pas me voir. Ma mère avait raison. Je ne suis vraiment qu'une merde pour mon fils. »

Réfugiée dans la salle de bains de l'unité de vie, Giovanna pleura à gros sanglots, assise par terre, la tête dans les genoux. L'ado rebelle n'était plus qu'une petite fille fragile et meurtrie.

Danny tente de lui parler. Giovanna, dans cette circonstance, accepte de l'écouter.

« Aujourd'hui Rayan a fait une colère parce c'était difficile pour lui de vous quitter. Même si vous ne savez pas encore communiquer et être ensemble, Rayan a très bien remarqué votre régularité et votre assiduité aux visites. Il demande quand c'est le jour de maman. Il a compris qu'il comptait pour vous. Vous ne savez pas le lui dire et lui ne sait pas comment vous répondre. Mais aujourd'hui il a été triste que vous partiez. Et il n'a pas su l'exprimer autrement que par cette colère. »

Danny fait venir Rayan soudain calmé :

« Rayan, tu as fait une colère car tu étais triste de quitter maman. Mais vois-tu, ta maman aussi est triste de te quitter. »

Ils peuvent alors se séparer apaisés mais tout émus.

Une mère doit être en sécurité affective pour offrir de la sécurité à son bébé

Rayan avait fait une place à Giovanna. Giovanna existait pour Rayan.

135

« Tu ne seras pas capable d'être une mère. » L'oracle de la grand-mère était démenti.

Pour la maman ce fut l'occasion d'un virage à 180°. Son attitude changea du tout au tout. Elle devint attentive à ce que lui disait Danny, puis s'ouvrit aux autres professionnelles, même aux « vendues » et aux « collabos ». Elle prit appui sur elles pour aller vers Rayan. Elle avait trouvé sa place dans la ribambelle des poupées russes. Être soutenue et être entourée pour contenir et porter Rayan et le laisser se reconnecter à elle.

Maintenant Rayan, enfant auparavant sans émotion, pleurait à chaque départ de sa mère. Les fins de visite furent pleines d'émois et l'occasion de négociations entre Giovanna et son fils. Elle apprit petit à petit à gérer les séparations, prendre son temps, celui de l'enfant, sans partir comme une voleuse.

Giovanna commença à se confier sur les inquiétudes qu'elle avait eu pendant le rapt de son enfant par sa grand-mère :

« J'ai toujours été terrifiée par ma mère. Elle ne m'a jamais fait de mal avec des coups mais elle m'a toujours cassée, dénigrée. Elle me traitait d'incapable. Et comme c'était dans un climat de violence il était impossible de penser vouloir s'opposer. Elle ne maltraitait physiquement que les garçons. Pour elle il n'y avait qu'eux qui avaient de la valeur. Mais c'est sur eux qu'elle tapait. Elle attachait mes frères au radiateur. C'était pour l'exemple. Nous les filles, on comptait pour du beurre mais on bougeait pas d'un cheveu. Trop peur.

Alors imaginez quand Rayan s'est retrouvé seul chez elle. L'angoisse, le stress qu'elle finisse par en faire autant avec lui. Ma mère c'est une furie. Il fallait absolument que je le sorte de chez elle. Je savais pas comment mais il le fallait. Je croyais que le juge allait me rendre Rayan et basta ! Mais mon fils s'est retrouvé placé au foyer. Je l'ai très mal pris. Ma mère disait que j'étais une incapable et le juge aussi puisqu'il l'avait placé. Et moi, je croyais que vous pensiez pareil. »

Giovanna devient une maman

La maman avait tout à apprendre mais les progrès furent rapides. Il fut vite envisagé que Rayan puisse aller passer des journées chez sa mère, puis une journée et une nuit, jusqu'à une alternance de trois jours chez maman et quatre jours au foyer. Une garde alternée en quelque sorte.

La maman eut la chance de rencontrer un compagnon qui l'épaula tout en respectant le travail engagé avec le foyer. Il l'aida aussi à couper les ponts avec sa famille. Elle prit petit à petit confiance en elle mais utilisa Danny comme une ressource maternelle le temps de voler de ses propres ailes. Tout y passa, de la contraception à l'autorité, des règles diététiques aux menus de la semaine, de la gestion des courses à l'utilisation du congélateur. Elle confia aussi ses inquiétudes et ses craintes que ses neveux et nièces fussent maltraités et sa tristesse de ne pas avoir eu une vraie vie de famille.

Un épisode cocasse : Giovanna raconta son expérience de congélation d'un concombre qui se termina en échec complet au dégel.

Quitter sa mère devient de plus en plus douloureux pour Rayan. Un séjour de deux semaines, durant les vacances scolaires, est programmé chez la maman. Quelques jours avant, Giovanna ne va pas bien. Elle paraît très anxieuse et ses bras sont couverts d'eczéma. Danny s'inquiète et cherche à comprendre. Giovanna avoue alors qu'elle n'osait dire qu'elle ne se sentait pas encore prête à une si longue période seule avec Rayan, sans soutien, son ami étant en déplacement. Elle pris la décision de renoncer. L'essai suivant, deux mois plus tard, sera une réussite.

Puis ce sera le départ définitif avec le passage régulier puis espacé de Danny au domicile. Giovanna va jusqu'à lui demander ce qu'elle pense d'un projet de bébé. « Maintenant, est-ce trop tôt pour moi et pour Rayan ? »

Aujourd'hui Rayan a une dizaine d'années. Danny l'a croisé dans un supermarché avec sa mère et sa petite sœur. La maman

8 – Il n'est pas de mère seule

a changé de look. Elle ne paraît plus souffrante et écorchée vive comme à ses 17 ans. C'est une jolie jeune femme affirmée et tranquille. Elles échangent quelques nouvelles des enfants, de la vie. Tout va bien. Avec son compagnon, ils viennent de s'acheter une maison, c'est tout un événement.

Rayan écoute sagement. Danny se présente.

« Tu ne te souviens pas de moi mais je me suis occupée de toi et de ta maman quand tu étais bébé. La vie n'était pas facile à cette époque pour ta maman. Je suis très heureuse de constater que vous allez tous bien aujourd'hui. »

Il n'est pas de mère seule.

Jean-Jacques Goldman en a chanté la difficulté :

Elle m'téléphone quand elle est mal
Quand elle peut pas dormir
J'l'emmène au cinéma, j'lui fais des câlins, j'la fais rire
Un peu comme un grand frère
Un peu incestueux quand elle veut
Puis son gamin, c'est presque le mien,
sauf qu'il a les yeux bleus
Elle a fait un bébé toute seule.

9 – Connexion d'outre-tombe

Une accouchée morte

Un collègue obstétricien m'appelle pour que je vienne en urgence visiter une accouchée.

« Morte », juge-t-il utile de rajouter.

« Morte ? » Sur le coup, en une fraction de seconde, plusieurs histoires professionnelles où la naissance et la mort s'étaient croisées à la vitesse de la lumière se télescopent dans ma tête. Ce nouveau-né que nous avions reçu après que sa mère s'était suicidée près de son berceau à la maternité en s'asphyxiant avec un sac en plastique. Cet autre qui avait survécu un jour et demi dans le sang de sa mère assassinée par le père de l'enfant. Un collègue aussi que j'estimais beaucoup et qui s'est pendu le jour de la naissance de son fils.

Je me suis sans doute un instant mis en pause avec le téléphone suspendu dans la main et mon collègue qui s'en est rendu compte rajoute pour me rassurer : « Elle est comme morte. »

Je me rends à la maternité. Dans la salle de garde la sage-femme m'offre un café et m'explique le « cas ». Elle est très fine observatrice et a toujours d'extraordinaires histoires d'accouchées à me raconter à chaque fois que je viens. C'est un plaisir que de l'écouter et de se laisser conduire de surprises en étonnements.

Je consulte le dossier.

Mère pour la deuxième fois, mariée, belles études, profession intellectuelle. Aucun antécédent psychiatrique connu. Elle a donné naissance la nuit passée à une jolie petite fille qui, elle, se porte parfaitement bien. Mais la mère ne parle plus, est incontinente, garde les yeux fermés, ne répond à aucune sollicitation, pas même à celles de son mari. Elle repose inerte, immobile comme un cadavre, mais le médecin qui l'a examinée n'a découvert aucun trouble. Elle respire, son cœur bat, elle n'est pas dans le coma. Par contre, elle ne réagit pas du tout au va-et-vient du personnel de la maternité qui s'affaire pour répondre aux premiers pleurs de son bébé et lui prodiguer les soins nécessaires.

Avant de sombrer dans cet état, elle a pu déclarer qu'elle était morte.

Son transfert à l'hôpital psychiatrique paraît la seule issue raisonnable, la famille semble s'y résoudre et je suis mandaté pour l'organiser.

Entre catafalque et berceau

Je me rends dans la chambre.

Quelle étrange mission pour un pédopsychiatre que d'aller écouter une morte !

C'est une maternité « chic ». La chambre est lumineuse, les murs pastel clair. Le bébé dort d'un sommeil paisible dans un berceau transparent. Sa mère est immobile, étendue sur le dos, les bras le long du corps, dans un lit impeccable. Ni rides ni plis qui pourraient trahir un quelconque signe de vie. Les draps ne portent aucune trace de froissement qui aurait pu révéler quelque mouvement insignifiant. Je fais sortir les vivants de la pièce et je m'assois sur une chaise à côté du lit.

Je veille en silence un corps dans une chambre mortuaire, linceul immaculé. Mais, curiosité, un nouveau-né sommeille au côté de la morte. Je suis là, entre la vie et la mort, c'est un mystère. Avant de briser ce calme troublant, je me recueille, je m'imprègne de cette petite fille et de sa mère que je regarde tour à tour, chacune isolée dans un monde différent. Aucune ne m'accorde attention. Une scène improbable et je ne suis pas au cinéma. Drôle de fonction que celle de pédopsychiatre, aller et venir entre la vie et la mort, traverser le Styx, en revenir.

Une voix d'outre-tombe

D'une voix posée et tranquille, sans forcer – se faire entendre de celle qui est morte sans réveiller celle qui est vivante – je me présente, explique mon mandat, la faire transférer en milieu psychiatrique, mais j'ajoute que tout cela m'intrigue, que je serais très curieux d'en comprendre quelque chose avant d'organiser son transfert. Orgueil de savoir du clinicien. Aucune réponse, je reste là, je me tais. Le bébé dort, la chambre est grège pâle, le linoléum vert pomme, drôle de couleur. Je regarde ma montre. Je perçois, assourdis, des bruits de passage et des voix dans le couloir. Les trilles mélodieux des oiseaux du parc me parviennent par la fenêtre. C'est l'heure de ma pause repas : dans mon ventre, qui se fiche éperdument de la mort, des grenouilles qui gargouillent. La vie. Dans la chambre, nul bruit. Pour meubler ce vide mortel et l'ennui qui s'insinue, je parle du bébé, une belle petite fille, vraiment ! Quelle heure est-il ? Je regarde encore ma montre. J'ajoute des banalités certainement. Je suis toujours très bavard, même avec les morts. Avant d'aller rendre mon verdict j'attends encore un peu.

Toujours le silence, mais attentif. Puis soudain les lèvres de la morte me parlent d'outre-tombe. Rien d'autre ne bouge que ses lèvres. Elle se met à me parler des morts de sa famille, des morts récents. Ses parents, deux années auparavant, puis, l'an passé, son oncle et sa tante qui les avaient un temps remplacés. Tous fauchés trop vite, en si peu de temps, maladies foudroyantes, accidents de la route. Aînée d'une fratrie de cinq, la génération précédente disparue, elle se retrouve *mater familias* bien malgré elle. Elle assume son rôle, travaille, fait ses deuils, règle les conflits familiaux et les problèmes de successions pendant sa grossesse. Un nouveau-né s'annonce, le cycle de la vie reprend enfin ses droits. Elle pensait voir le bout du tunnel. Mais voilà : aujourd'hui, c'est elle qui est morte. Enfin, plus tout à fait, et trois fois par jour, trois jours durant je vais venir m'asseoir là à l'écouter, tandis qu'elle commence à s'intéresser à sa jolie petite fille. L'hospitalisation psychiatrique n'est plus au programme, elle quitte la maternité avec quelques consignes de sécurité au mari. Elle viendra ensuite pendant plusieurs mois à mon cabinet continuer à me parler des morts et des vivants, de son bébé aussi qui se porte comme un charme.

Que s'est-il donc passé dans cette chambre lorsque je me suis assis sur ce siège entre un catafalque et un berceau, entre une vivante en suspens et une morte qui avait perdu la parole, pour que soudain la vie revienne et que les connexions se rétablissent les unes après les autres comme après une coupure de courant ?

Un peu d'anthropologie

Faisons un détour anthropologique et historique.

Dans l'Antiquité, les Grecs nommaient *amphidromia* la cérémonie qui consistait à accueillir l'enfant dans la famille et lui donner un nom. Les Romains appelaient cette fête *aspersio* ou *lustratio*. Entre cinq et huit jours après sa naissance le nouveau-né, qui avait survécu à la période d'incertitude des premiers jours de vie et que le *pater familias* avait décidé d'élever, était promené dans la maison et présenté au culte domestique du foyer et des ancêtres. Le foyer était une divinité domestique en soi qui exigeait qu'on l'honorât et l'alimentât.

Le foyer représentait sans doute dans le groupe familial antique le symbole lointain de la domestication du feu pendant la préhistoire. Sa présence sous le toit familial marque la fin de l'errance, du nomadisme de l'homme préhistorique rendu possible par la maîtrise de l'élevage et de l'agriculture. Pour les Grecs et les Romains quand un foyer disparaissait, c'est que la famille s'était éteinte. Ces expressions sont restées dans la langue et l'on parle aujourd'hui de foyer fiscal et du risque d'extinction des espèces.

Le terme *lustratio* évoque l'eau lustrale, eau rendue sacrée par le geste de plonger un brandon enflammé tiré du foyer, sacré, dans le vase qui la contenait. L'eau criait et frémissait, des bulles éclataient à sa surface. Comme lors des cérémonies nuptiales, on se partageait alors des gâteaux confectionnés avec de la fleur de farine. Aujourd'hui encore, dans les belles occasions, nous nous partageons des bulles et des biscuits.

Un lieu stable pour habiter, c'est un foyer pour les vivants qui peuvent plus facilement entretenir la mémoire des morts dans une sépulture proche. Quand les vivants vivent à demeure dans une *domus*, les morts ont aussi une sépulture à proximité des vivants et non plus au hasard de la vie itinérante des nomades. Les monuments funéraires apparaissent (les mots « monument » et « mémoire » ont la même étymologie). Dans le pourtour méditerranéen, en Corse par exemple, il est encore assez coutumier de rencontrer des cimetières domestiques sur l'emprise du domaine familial. Les fêtes rituelles du souvenir, à la Toussaint par exemple, sont toujours l'occasion d'allumer des bougies sur ces tombes.

La charge de célébrer les *sacra privata*[13], les rites privés du souvenir des morts se transmettaient de génération en génération

---

13. Daremberg (Charles), Saglio (Edmond), *Dictionnaire des Antiquités grecques et romaines d'après les textes et les monuments,* 10 volumes, Paris, Hachette, 1877-1919. Voir l'article « sacra », vol. 4, p. 948-951.

9 – Connexion d'outre-tombe

jusqu'à extinction complète de la *familia* ou de la *gens*. Le fils y succédait au père. Quand un *pater familias* n'avait pas d'enfant, il adoptait un membre d'une autre famille ou d'une autre *gens*, afin que les *sacra* de sa famille ou de sa *gens* ne fussent pas interrompus. Aussi le sens de l'adoption chez les Grecs et les Romains était de perpétuer les *sacra*, lorsque le *pater familias* n'avait pas eu de fils. À défaut, un héritier désigné devait continuer cette charge.

Dès ses premiers jours de vie, l'enfant est invité à perpétuer ce cycle qui ne doit jamais s'interrompre.

Les *amphidromia* étaient l'occasion de présenter l'enfant aux ancêtres mais aussi de présenter les anciens à l'enfant. De cette dépendance entre générations découle les droits et devoirs réciproques qui lient parents et enfants. Pour que l'enfant puisse un jour honorer ses ancêtres, ses parents doivent le protéger jusque-là. La croyance de la famille primitive grecque et romaine en la nécessité impérative pour les morts d'être honorés et nourris par les vivants, ce qui se retrouve dans toutes les civilisations, pour continuer leur chemin dans l'au-delà n'est sans doute plus partagée aujourd'hui sous cette forme. Mais il nous reste le souci des origines et le devoir de mémoire qui marquent encore profondément le psychisme de chacun, tels des legs inconscients. Le besoin de recherche de ses origines et la passion qui se développe actuellement pour la généalogie en sont d'autres bons exemples. Perdre le lien avec ses racines reste un drame et l'émigration peut-être difficile à vivre pour la deuxième génération qui n'a plus contact avec la génération des grands-parents. On fait alors parfois appel à des « grands frères » en substitution d'un lien ancestral disparu.

Les enfants savent que leur fonction est de se souvenir des anciens

Cette nécessité impérative de cultiver la mémoire des morts mais pour aussi y trouver un soutien marque les petits enfants beaucoup plus tôt et beaucoup plus qu'on ne l'imagine. Dans une société aseptisée qui cherche à mettre la mort et les morts à distance, je reste toujours frappé par les deuils pathologiques de jeunes enfants qui deviennent tristes, soucieux, ont des difficultés à dormir et parlent de la mort d'une personne de la famille qu'ils n'ont jamais vu autrement qu'en photo ou dans le récit des adultes. Les parents sont étonnés : « Elle ne l'a même pas connu, mon aïeul est décédé plusieurs années avant sa naissance. » Être déprimé, inquiéter son entourage par des propos morbides sur la mort et questionner sur la dernière demeure d'un membre manquant de la famille, voilà une bonne manière de faire revivre un disparu. Ces enfants « portent » littéralement le deuil d'un ancêtre qu'ils croient oublié et s'assignent la mission de rappeler son souvenir aux vivants.

Cette mère à la maternité n'avait plus d'anciens pour la soutenir et il lui revenait le devoir de présenter les morts de la famille au bébé. C'était impératif. À l'occasion de la naissance de cet enfant elle se devait d'occuper trois fonctions à la fois, mère de sa fille, les morts à qui la présenter et les anciens sur qui s'appuyer. Que les anciens accueillent l'enfant et soutiennent la mère et que l'enfant soit déjà invité à honorer ses aïeuls.

Elle était seule et a dû remplir toutes ces fonctions dans son rôle de *mater familias*. Mère, anciens, aïeuls. Elle a disjoncté et n'a réussi qu'à présenter la mort à son bébé. Elle a commencé par prendre la place des morts.

Mais j'étais assis là, entre elle et son bébé. Le visiteur que j'étais a sans doute pris la place des anciens puis a ensuite occupé la place des morts. J'ai servi de prothèse familiale éphémère et je me suis évanoui dans l'ombre lorsque je suis devenu inutile. C'est dans l'après-coup, les mois suivants, en l'écoutant me raconter l'histoire de sa famille, que j'ai compris tout cela.

Je fus, sans le savoir, les anciens sur lesquels la mère s'est appuyée quand j'étais présent. Je fus les morts, à qui elle voulait présenter sa fille quand je n'étais plus là.

Telle est la fonction prothétique transitoire du thérapeute qui incarne le membre manquant puis s'efface quand il est nommé : faire exister par le verbe ce qui fait défaut, offrir une prothèse signifiante pour remplacer le chaînon manquant de la mémoire. Un enfant, c'est une connexion entre les morts et les vivants.

Un visionnaire de la réalité des liens entre générations : Léonard de Vinci

Léonard de Vinci connaissait le principe des poupées russes, les connexions affectives des bébés, et les connexions d'outre-tombe.

Si vous ne me croyez pas rendez-vous au musée du Louvre.

Les œuvres d'art des artistes les plus géniaux expriment l'indicible et mettent en lumière des sentiments que nous aurions de la difficulté à nommer. Nous ne sommes pas tant émus par la prouesse technique de l'artiste – c'est une condition indispensable – que parce ce qu'il l'a mise au service de l'expression d'émotions universelles qui nous touchent sans que nous puissions en identifier les ressorts. C'est une émotion esthétique qui résonne en nous sans que nous en sachions le pourquoi. Le tableau de Léonard de Vinci, *La Vierge à l'Enfant avec sainte Anne* (vers 1513), exposé au musée du Louvre me fait cet effet et fait résonner en moi bébés connectés, poupées russes et connexions d'outre-tombe.

Un tableau classique c'est certainement ennuyeux, me direz-vous. Mais celui-là est aussi étrange que notre histoire de poupées russes et d'accouchée morte, pour peu qu'on se laisse pénétrer par la scène. Trois générations, la Vierge Marie, sa mère, sainte Anne, et son fils l'Enfant Jésus, sont réunies dans un lieu improbable. Des hauts sommets montagneux en arrière-plan, un précipice en avant-plan. Que font-ils là tous les trois au bord de l'abîme dans ce paysage de géants ?

Tableau surprenant aussi parce qu'aucun des personnages n'est à la place où on l'attendait. La grand-mère est assise sur un rocher, la mère est assise sur les genoux de la grand-mère. Quant à l'Enfant Jésus, il n'est pas installé dans le giron de la Vierge comme dans presque toutes les maternités de tous les musées du monde. Il a glissé des genoux de sa mère, il s'est sauvé, il court, il galope même. Il est en danger.

Léonard y met de l'action. La scène vire au drame. Si l'aïeule couve sa fille d'un regard bienveillant, celle-ci est aux prises avec la fuite du garnement. Celui-ci s'apprête à chevaucher un mouton qu'il tient solidement par les deux oreilles comme les jeunes enfants le guidon de leur porteur. Sûr que, parti comme il l'est, il va s'abîmer dans le vide tout proche ! Il est au bord du gouffre, au sens propre et figuré. Mais sa mère parvient toutefois à le rattraper à deux mains pour qu'il ne chute pas plus bas. Et si l'enfant, insouciant de la mort qui l'attend, s'est engagé dans une action centrifuge et dangereuse, il a néanmoins tourné la tête dans un mouvement centripète vers sa mère dont il croise les yeux au dernier moment. Tombera ? Tombera pas ? Elle le supplie du regard, qu'il se laisse prendre, qu'il revienne en sécurité sur ses genoux. Elle l'a accroché des yeux, lui s'y suspend en retour, tandis que la grand-mère semble dire à sa fille : « Aie confiance ! Je suis là ! Tu vas réussir à le sauver. » La plus stressée, c'est la fille.

Résumons. Une grand-mère porte sa fille sur ses genoux – quelle régression ! –, qui elle-même retient plus ou moins adroitement son enfant qui risque de chuter dans le vide. Étrange scénario !

Que comprendre de cette scène sinon que cette grand-mère, par sa simple présence – elle semble assez détachée –, donne suffisamment de confiance à sa fille pour que celle-ci réussisse le sauvetage de l'enfant. La sécurité intérieure que donne l'expérience vécue d'une bonne connexion affective se transmet de génération en génération, une mère peut se connecter à son enfant et lui éviter la mort si la génération précédente reste disponible et branchée. Sans électricité pas de connexion. Sans connexion pas de bébé en sécurité. La grand-mère sert d'appui à la mère qui, elle, retient l'enfant d'un regard. Des poupées russes emboîtées les unes dans les autres et connectées. Le tableau de Léonard est construit sur cette structure, le bras droit de la grand-mère se confond avec celui de sa fille, le bras gauche de la Vierge se prolonge par celui du bébé. C'est une mise en image géniale du système des poupées russes et du phénomène des bébés connectés affectivement mais aussi de la place de la mort et des morts autour de la naissance d'un enfant. Les ancêtres sont présents en arrière-plan, personnifiés par les sommets rocheux, thème universel que l'on retrouve dans les statues monumentales des pères fondateurs de la Nation du mont Rushmore aux États-Unis. Il est remarquable de constater que les Sioux dénommaient auparavant ces tours rocheuses « Six grands-pères. »

La mort c'est le ravin.

Qui peut assurer le portage d'une mère qui porte son bébé ?

Qui peut ou doit assurer le portage de la mère ? Ce peut-être bien évidment le père – mais aussi tout autre appui affectif de la mère – qui, convoqué à cette fonction d'étayage, change soudain de place et de carrure. Il ne joue plus alors le rôle du partenaire mais incarne la fonction de protecteur, celui qui soutient la mère qui porte l'enfant. Ceci n'a rien à voir avec les conceptions psychologisantes du « tiers » dans la relation « mère-enfant » dont on nous rebat les oreilles, qui conduisent à cette image ridicule du père ravalé au rôle de sécateur obligé de couper le cordon d'un geste symbolique comme le maire un ruban d'inauguration. Comme si le père ou le compagnon de la mère ou tout autre soutien affectif de cette mère, n'avait d'autre fonction que l'insémination, la section du cordon et de devenir un co-éducateur. C'est bien à une tout autre dimension que celui ou celle qui incarne ce soutien affectif est appelé à accéder, la mission d'occuper une place symbolique dans la succession des générations en assurant le portage de la mère qui porte l'enfant.

10 – Premiers regards, premiers liens ?

Reconnaître l'enfant, se reconnaître dans l'enfant

Arrivé à ce point de notre voyage dans le monde des tout-petits, vous aurez compris qu'un bébé se préoccupe assez peu de sa filiation biologique ou légale mais cherche plutôt à choisir des bornes affectives stables et sûres, car sa survie, physique et psychique, en dépend.

Mais qu'en est-il pour les parents ? Un « pur enfant biologique » porte-t-il en soi, par la grâce de porter les gènes de ses parents, l'assurance que ceux-ci vont réellement l'aimer et le reconnaître comme le leur ?

La filiation biologique offre-t-elle la garantie d'un bon investissement de l'enfant par ses parents ? L'histoire d'Elouan, rencontre ratée entre une mère et son enfant, posait déjà en soi cette interrogation.

Vous connaissez tous dans votre entourage des récits de parents, vous peut-être, qui racontent la première rencontre avec leur enfant, ce premier regard échangé, qui scelle à jamais leurs liens. « Juste après mon accouchement, Ugo a été emmené en couveuse et nous avons été séparé une nuit. Mais j'ai croisé ses yeux. J'ai su que c'était lui mon enfant et j'ai vu dans son regard que j'étais sa mère. »

Les choses ne sont pas toujours aussi simples

La première fois qu'une maman est venue consulter pour évoquer cette question et me dire sa difficulté à se reconnaître dans son bébé, j'ai tenté de trouver des explications du côté des théories psychiatriques, c'était ma formation. Mais à mon grand étonnement, cette maman qui était là, devant moi, à m'expliquer qu'elle ne voyait en son enfant qu'un étranger, n'était ni déprimée, ni délirante, ni plus névrosée que tout un chacun. Je savais aussi que l'établissement du lien mère-enfant pouvait être mis à mal par le fait d'une disjonction entre l'enfant espéré et l'enfant réel, fille en place d'un garçon par exemple, enfant handicapé ou malade, ou encore enfant arrivé au cœur d'un conflit conjugal. Mais là aussi, chez cette maman, aucune de ces mauvaises surprises qui viennent parfois troubler le temps de la rencontre mère-enfant n'était présente.

Le fait même qu'elle en témoigne démontrait qu'elle n'était pas submergée par une culpabilité névrotique mais au contraire assez libre de sa parole. Annoncer ne pas vouloir d'enfant étant déjà considéré comme un choix suspect, alors oser révéler ne pas avoir de sentiment pour un enfant « naturel » qui a été programmé et attendu est bien pire. L'avouer, c'est faire preuve de parjure parental car c'est un véritable outrage à l'idéal social de la famille. Dans nos schémas culturels une mère ne peut pas ne pas aimer son enfant. C'est d'ailleurs aussi valable pour les pères.

Donc, cette maman était venue avec sa fille de 3 ans et quelques mois me raconter qu'elle fut contrainte de jouer la comédie d'être mère pendant presque trois ans. Elle fit tout comme une mère devait faire, comment elle imaginait qu'une mère devait faire, mais sans jamais ressentir aucune émotion maternelle.

« Ce fut un calvaire, une astreinte, une imposture mais j'ignorais ce qu'était se sentir mère. Pourtant aux yeux des autres je l'étais. Je me voyais distante de cette enfant, je ne me retrouvais pas en elle. C'était un secret que je ne pouvais dire à personne, ni à son père, ni à ma mère, ni à ma sœur, encore moins au pédiatre ou à mon médecin. Ils n'auraient pas compris. Ce silence que je ne pouvais rompre aggravait encore ce sentiment d'imposture. Je jugeais que mon amour maternel était mensonger à l'égard de ma fille et que je trompais les autres sur mes sentiments véritables. Mais comment avouer une telle chose. C'était inconcevable. Une mère doit être une mère. Tout le monde imagine que l'amour maternel est inscrit dans les gènes comme l'est la montée laiteuse. Que le sentiment d'être mère commence avec l'accouchement et déborde avec les hormones.

Un jour, elle devait avoir presque 3 ans, nous étions dans la cuisine, et Ludivine, c'est son prénom, m'a appelée. Elle m'a dit "maman" comme elle le disait vingt fois, trente fois par jour et je me suis retournée pour lui répondre. Nos regards se sont croisés et, vous me croirez ou vous ne me croirez pas, mais à cet instant, comme saint Paul sur le chemin de Damas, j'ai eu l'émotion d'être mère pour la première fois. Quelque chose d'indescriptible, de doux et de violent à la fois, qui me submergeait. J'ai eu les larmes aux yeux et j'ai eu envie de la prendre dans mes bras. C'était la première fois que ce geste et cette émotion venaient de moi, de façon spontanée. Avant, quand je prenais Ludivine dans mes bras c'est parce qu'elle y venait et que je ne pouvais pas lui refuser les gestes de tendresse qu'elle attendait. Mais c'était une réponse intellectuelle, pas une émotion.

Alors me direz-vous, si tout va bien maintenant pourquoi venez-vous en consultation aujourd'hui. Ce n'est plus utile ! C'est justement parce que les choses vont mieux que je veux avoir votre conseil : désormais je suis beaucoup plus préoccupée par le bien-être de ma fille. J'ai maintenant absolument besoin de savoir si Ludivine a souffert de mon indifférence émotionnelle. Avant j'étais incapable d'énoncer cette question. En effet, j'aurais été alors contrainte d'avouer ce que je ressentais comme étant une infernale duperie et c'était impossible pour moi.

Alors que pensez-vous de Ludivine ? »

Elle allait très bien !

Un cas isolé ?

Une deuxième maman venue pour me présenter son fils m'expliqua :

« J'admire les parents qui aiment naturellement leurs enfants, j'aurais voulu ressentir la même chose pour mon fils.

Marc est âgé de 5 ans et sa petite sœur vient d'avoir 4 mois. Avec cette petite fille ma relation a été toute différente dès les premiers instants. Je l'ai reconnue et je me suis reconnue en elle tout de suite. Ça n'est jamais arrivé avec Marc. C'est ce contraste qui m'a surprise et inquiétée.

Mon mari était en mission en Afrique et Marc est né là-bas. C'était le seul bébé blanc à la maternité. Pas de risque de le confondre avec un autre, bien que les bébés de couleur aient la peau moins foncée à la naissance. Pourtant, quand on me l'a posé dans les bras, nous étions comme deux étrangers. C'était bien visible sur la photo prise alors par son père. Deux étrangers.

Pourtant c'était un bébé désiré. Mais l'installation de notre relation a été bizarre. Quand il est né, rien, je n'ai rien ressenti. Ou plutôt la peur de le perdre. Et l'absence d'envie d'aller vers lui. Les deux en même temps. C'était paradoxal. Dès que je le vois, j'ai peur. J'ai peur qu'il soit malade et j'ai peur quand il est fiévreux.

Mais quand il avait besoin de quelque chose, je n'allais même pas vers lui pour l'aider ou pour le consoler. Je n'avais aucune sollicitude pour lui. S'il avait oublié ou perdu son doudou, s'il pleurait de l'avoir égaré, je lui lâchais : "C'est pas grave, tu le retrouveras !"

Avec lui je ne me sens pas maternelle alors que je déborde de sensibilité pour ma fille. »

Les anciennes confidences de la maman précédente sur sa « conversion maternelle » me conduisirent à demander à la mère de Marc si semblable expérience lui était arrivée.

« Est-ce qu'une fois, pendant ces cinq années, vous avez éprouvé un peu plus d'empathie pour lui avec le sentiment d'une vrai rencontre entre vous deux, comme vous le décrivez pour votre fille ? »

« Il n'y a jamais eu de bons moments. C'est horrible de penser ça et encore plus de le dire. Je dois reconnaître que j'ai subi le fait d'avoir eu à m'en occuper. Je me suis vue le laisser dans son parc et ne plus avoir envie de le voir. Quand il est malade, une fraction de seconde, la première idée qui me vient, c'est qu'il fait ça uniquement pour m'embêter. Je l'ai élevé, j'ai fait ce qu'il fallait – j'ai malgré tout essayé d'être une mère –, mais maintenant que j'ai eu ce second bébé, ma fille, elle a 4 mois, je m'aperçois que c'est complètement différent. Elle, c'était évident que c'était mon bébé. »

Elle s'arrête de parler, sèche ses yeux. Marc joue tranquillement dans son coin sans se mêler à la conversation. Il s'efface et laisse sa mère s'épancher. Mais dans la petite tranche de silence qui s'installe, il quitte les jouets en bois sur le tapis, prend son lapin en peluche qu'il avait abandonné au sol et va le déposer avec soin dans le sac à main de sa mère en déclarant :

« Je laisse mon doudou dans ton sac pour pas l'oublier. » Et il retourne à ses jeux.

Elle dit ne pas être sûre de le reconnaître comme son fils, mais lui sait qui est sa mère. Fine, elle remarque quand même son geste et ajoute :

« Des fois il me fait un peu pitié. Il peut venir dix fois, quinze fois de suite me dire « maman je t'aime » comme s'il espérait déclencher quelque chose chez moi. Mais ça ne me fait rien. Il cherche sans doute à ce que je le rassure sur mes sentiments à son égard. J'ai du mal à être câline avec lui. Je n'en ai pas envie. À la maternité, physiologiquement c'était mon enfant, mais au plan affectif ou émotif, ce n'était pas flagrant du tout. Pour moi, c'était comme si ce n'était pas le mien. Ou du moins c'était la logique, le raisonnement qui me faisait dire qu'il était à moi, mais pas le cœur. »

Marc était bien plus en souffrance que Ludivine.

10 – Premiers regards, premiers liens ?

Une autre maman encore

« Matias est né prématuré et le lien a été difficile à créer entre nous. J'avais l'impression de m'occuper d'un enfant mais que ce n'était pas mon enfant. Que cet enfant n'était pas à moi. Je m'en occupais distraitement, c'était une tâche à accomplir. Je m'y appliquais, je la faisais bien. Mais un jour, je me suis fait peur. J'ai eu la sensation de m'occuper de l'enfant d'une autre, d'un enfant étranger.

Je m'entends très bien avec ma belle-mère ! ça arrive ! Je lui ai expliqué qu'il y avait quelque chose qui n'allait pas avec Matias. Je lui ai décrit combien je trouvais mes sentiments bizarres. Que je m'en occupais bien, enfin je le pensais, mais je n'avais aucune empathie envers lui. Ce n'était pas si évident que ça d'avouer de telles difficultés à sa belle-mère. Imaginez les projections imaginaires, les ragots et les retombées familiales. Elle m'a laissée lui confier mes questions. Elle ne m'a rien répondu de particulier dont je me souvienne mais je me suis sentie écoutée. Elle ne m'a pas jugée. Bien au contraire, je me suis sentie soutenue. Une solidarité de mères. À qui peut-on s'autoriser de raconter ce genre de choses ? Et plus tard, petit à petit, ce sentiment d'anesthésie affective est parti sans même que je m'en rende compte. Aujourd'hui, c'est mon fils. Je ne sais pas comment ça s'est produit, mais c'est mon fils. »

Il faut noter là que la posture de cette belle-mère, par son écoute respectueuse, non moralisatrice, qui contient et supporte, rappelle le principe des poupées russes.

Ces trois mères n'étaient ni déprimées ni spécialement névrosées. Elles n'étaient pas en situation de conflit familial ou de précarité. Leurs bébés étaient désirés et attendus, et ne présentaient pas eux-mêmes de traits particuliers qui auraient pu représenter un handicap à leur investissement par leur mère.

La filiation biologique n'est qu'une fiction

N'était-ce pas là la simple expression du fait, aujourd'hui reconnu, que même lors d'une naissance biologique les parents doivent adopter leur enfant et l'enfant s'affilier à ses parents. Et certaines fois ce n'est pas automatique.

Mater certissima, pater semper incertus dit la maxime. Mais depuis la brebis Dolly et surtout depuis la naissance de Louise Brown, le premier bébé-éprouvette, le 26 juillet 1978, la vraie nature de la filiation a été révélée à l'humanité sans que nous l'ayons encore bien comprise.

La fécondation n'est plus un processus enclos dans le corps des femmes, réalité qui rendait confuse la distinction entre la maternité biologique et la maternité psychique.

Je vous mets au défi aujourd'hui, hors confidence bien sûr, de dire en rencontrant un couple avec un enfant si celui-ci est l'enfant biologique né de ses parents ou un enfant né d'une combinaison de gamètes exogènes ou d'un don d'embryon. Et cela n'a plus aucune importance.

Le mythe de la filiation biologique a sombré avec les progrès de… la biologie. Les hommes et les femmes sont donc désormais égaux sur ce plan : ils doivent tous reconnaître qu'ils doivent adopter leur enfant d'où qu'il vienne. Sur un plan psychologique la filiation biologique n'est qu'une fiction et la vérité biologique n'est qu'un leurre.

Le prodige du nouveau-né qui parle

Pour en découvrir une autre illustration je vous invite à faire un détour par le Louvre.

Benvenuto Tisi avait un ami, Raphaël, son *alter ego* en peinture, dont la manière de peindre était si proche de la sienne que leurs œuvres furent souvent confondues. Pour certaines, dit-on, eux seuls en connaissaient l'auteur véritable. Néanmoins Benvenuto se trahissait en reproduisant au dos de ses propres toiles un œillet – *garofano* en italien – rappelant son surnom, Il Garofalo. Il fut aussi le créateur d'une série de gravures, sorte de bande dessinée avant l'heure, dont le musée du Louvre conserve trois planches dans ses réserves. Elles furent longtemps attribuées à son ami Raphaël, à tort. Cet ensemble de trois images successives raconte le miracle dit « du nouveau-né ».

L'histoire de ce prodige est la suivante.

Première planche, première scène : Un mari jaloux suspectait sa femme de l'avoir trompé et affirmait que l'enfant dont elle venait d'accoucher était celui d'un autre. Elle, offusquée et blessée, en appela à saint Antoine de Padoue qui passait par là juste à propos.

Devant la famille et la foule assemblée, certains personnages ont l'air grave, d'autres s'apitoient, elle expose son infortune au saint homme. Pour marquer son affection, elle pose sa main sur le petit bras de l'enfant.

« Mon bon moine Antoine, mon mari ne veut pas reconnaître mon bébé comme son fils car il prétend que j'ai souillé son honneur. Devant Notre Seigneur, j'affirme que cet enfant est le sien. »

Le doute paternel

Le bébé est dans les bras d'une suivante et regarde tour à tour sa mère, son père putatif et saint Antoine. Celui-ci questionne alors le mari.

« Et toi que dis-tu de cela ? »

Une main ouverte posée sur le cœur en signe de sincérité, l'homme répondit :

« Je ne suis plus un homme dans la force de l'âge et ma vigueur n'est plus celle de mes vingt ans. Ce serait un grand hasard que cet enfant fût le mien. D'autant que ma femme est encore belle et jeune. Je suspecte quelque fringant jouvenceau d'avoir cherché à la corrompre. »

Le Titien a aussi peint cette scène. Il y avait ajouté un personnage, un jeune homme habillé de rouge qui s'agitait en arrière du groupe, ce qui laisse supposer que ce peintre avait eu la malice d'accorder crédit à cette version.

Mais l'homme poursuivit :

« Face à cette faiblesse qui m'atteint parfois, qui ôte le sommeil à mes nuits et assombrit mes jours, qui pourrait me dissuader de ces pensées ? »

Saint Antoine ne voulut pas aller plus avant sur ce terrain, que son vœu de chasteté lui interdisait même de penser qu'il pût exister, et demanda qu'on lui présentât le nouveau-né.

Saint Antoine en conciliabule avec un bébé

Deuxième planche.

La suivante confie l'enfant à saint Antoine. Celui-ci le porte sur son bras et s'entretient avec le bébé.

Le père se détourne à moitié et ébauche maintenant avec ses mains un geste de rejet exprimant d'avance son incrédulité quant à tout ce qui pourrait advenir à cet instant crucial. « Je n'ai rien à attendre. À quoi cela sert-il à mon âge ? Désormais plus rien ne peut m'être accordé de bon » se dit-il en lui-même. Dans son tourment, il n'a même pas daigné jeter un œil sur ce nouveau-né depuis la naissance.

Tous les regards des spectateurs convergent alors vers les deux protagonistes qui se parlent au centre du groupe. La scène est étonnante : saint Antoine et le bébé sont en conciliabule. Dans cette seconde gravure le bébé est représenté comme le véritable et le seul interlocuteur du saint homme tandis que le père soliloque.

« Enfant nouveau-né, par le Seigneur, je te l'ordonne, révèle-nous qui est ton père. »

La tradition rapporte que l'enfant déclara en désignant l'homme grisonnant : « C'est lui mon père. » Mais à la vérité,

Il Garofalo n'a pas retranscrit les dialogues, il s'est concentré sur la succession des échanges de regard et de leurs effets.

Un père attendri

Troisième planche et dernière scène.

L'enfant est retourné dans les bras de sa nourrice et tend toujours son index vers son père et le regarde. Le père s'est levé. Un étonnement lumineux traverse son visage. La mère s'est agenouillée. Le saint les bénit.

Le père a cette fois encore la main sur le cœur mais presque repliée, dans un geste tout à la fois de contrition, de soumission aussi, et de reconnaissance à coup sûr. Cet enfant l'a regardé et il a répondu à ce regard. Il a été subjugué par la beauté insistante de ce regard d'enfant. Cet enfant, c'est certain, c'est son fils. Qui ne voudrait être le père d'un un tel enfant ?

L'extraordinaire prodige de ce miracle ne réside pas dans la prise de parole de l'enfant mais dans la démonstration qu'à la Renaissance italienne il existait un véritable intérêt pour l'observation de l'enfant, considéré, au moins dans les arts, comme un être à part entière. Dans cette légende, saint Antoine de Padoue révèle chez ce nouveau-né sa capacité d'éveiller le sentiment de l'amour paternel chez son père, d'un simple regard.

« C'est mon fils. »

Et le ciel, le saint et l'assistance se sont soumis à cette élection.

Postface

La prise en compte de la mémoire traumatique des bébés et de la souffrance psychique du nourrisson : une nouvelle frontière pour notre société

Certains bébés apprennent très vite à se protéger tout seuls

Lorenzo, 1 mois, pleure sans le son.

— C'est son père qui l'a secoué, parce qu'il a pleuré.

— Quel âge avait-il ?

— Il avait 1 mois.

— Qu'est-ce qui s'est passé ?

— C'était le matin. Il aurait mieux fait de pas se lever. Il aurait dû me réveiller et pas s'en occuper. Lorenzo pleurait. Il dormait au pied de notre lit. Il devait avoir faim. Alors il l'a secoué. Il l'a pris sous les bras, il l'a sorti du berceau et il l'a secoué. (La mère mime un mouvement de shaker pris à deux mains. Le père écoute la mère, acquiesce mais dodeline de la tête en fronçant un peu les sourcils. Il n'a pas l'air tout à fait d'accord.)

— Oh ! t'exagères, c'était sans faire exprès. Je l'ai juste un peu remué, un peu bougé.

— C'était brutal ! Et tu t'es entendu gueuler ? T'as dit : « Je vais le jeter par terre s'il continue à brailler. »

— Ouais ! Mais ça c'est quand je m'énerve ! C'est pas grave !

161

— Il l'a secoué et ses yeux ont fait comme ça. » (La mère mime avec ses yeux qui montent au plafond, deviennent tout blanc, les paupières qui battent et la tête qui tombe en arrière.)

— C'est comme quand on tombe dans les pommes, rajoute le père, confirmant les dires de la mère, mais dévoilant son incapacité à comprendre la violence de son geste et la gravité du traumatisme infligé.

Je suis atterré.

— Donc, comme vous dites, vous l'avez remué et il est tombé dans les pommes.

— Bah oui ! J'avais oublié de lui mettre la main derrière la tête pour le prendre, comme elle dit la puéricultrice. (Il fait le geste de retenir la tête d'un bébé en mettant sa main en coupe alors que son bras opposé fait mine de soutenir un petit corps.)

— Et après ? (La mère reprend la parole.)

— Je suis allée à la PMI (Protection maternelle et infantile) dans la matinée. J'avais un rendez-vous avec la puéricultrice, j'en ai profité pour lui raconter. Avec le docteur, ils m'ont dit de l'emmener à l'hôpital. Heureusement il n'y avait pas d'hémorragie dans le cerveau ni dans ses yeux.

— Votre bébé perd connaissance et vous n'avez même pas appelé le médecin ou le Samu ?

— Mais je l'ai protégé Lorenzo, j'y suis allée. Je l'ai protégé, c'est ce qu'ils m'ont dit à la PMI.

— D'une certaine manière, oui. Vous l'avez protégé de bien plus grave encore.

— Vous voyez, vous aussi vous dites que je l'ai protégé. (La mère de Lorenzo marque un temps d'arrêt.) Je l'ai protégé mais peut-être pas assez.

À la suite des déclarations de sa mère, Lorenzo a été placé par le procureur à la pouponnière au sortir d'une courte hospitalisation.

Les examens médicaux ne révélèrent pas de lésions cérébrales, une chance inouïe[14].

Un bébé garde les souvenirs des traumatismes subis

Lorenzo est donc arrivé dans le service âgé de 4 semaines. C'était un bébé qui se tenait en boule et avait un visage ridé de petit vieux. Un oisillon tombé du nid, aux expressions graves et sérieuses. Au lieu de croiser le regard de ses maternantes, il fixait un point au-dessus de leur front, à la marge des cheveux. Si l'on réussissait à croiser ses yeux, son regard vous traversait sans donner l'impression qu'il vous avait vu. Et jamais un sourire. Essayer de lui parler et d'attirer son attention ne semblait provoquer aucun intérêt de sa part. Mais la première semaine il ne pouvait s'endormir que porté dans les bras.

Il ne pleurait pas, ou plus exactement on ne l'entendait pas pleurer. C'étaient des sanglots sans le son. Quand il lui était impossible de se contenir, il laissait échapper un petit bruit hoquetant qui lui irritait la gorge, comme une vieille voiture qui aurait eu de la peine à démarrer et dont la batterie aurait eu aussi quelque faiblesse. Lorenzo retenait ses pleurs. À moins d'un mois de vie, il avait compris le danger de faire du bruit. Bien que ses parents n'eussent parlé que d'un événement unique, les réactions de Lorenzo laissaient supposer qu'il avait sans doute

---

14. Un bébé qui ne tient pas encore sa tête doit être manipulé avec des égards en raison de sa faiblesse musculaire. Secouer un bébé peut tout simplement le tuer ou le rendre handicapé à vie en provoquant des lésions irréversibles au cerveau. Les hémorragies simultanées du cerveau et de la rétine, caractéristiques de ces traumatismes, sont décrites chez le nourrisson depuis le début du xxe siècle. La cause en était alors inconnue. Il a fallu attendre 1972 pour qu'un pédiatre et radiologue américain, John Caffey, les rapportât aux conséquences d'un secouage violent de l'enfant…

été violenté plusieurs fois, au point d'apprendre à éviter de pleurer.

Le procureur avait autorisé les parents à venir voir Lorenzo plusieurs fois par semaine. Nous ne les laissions jamais seuls avec le bébé. Son père ne cherchait pas à s'en occuper, mais c'était la seule personne dont cet enfant fixait le regard. De la part de Lorenzo ce n'était pas un regard interrogateur, de découverte, de salutation ou d'invite, mais un regard hypnotique qui brillait d'une extrême vigilance et mettait très mal à l'aise. C'était incongru de voir un si jeune bébé regarder un adulte avec tant de fixité. Un nourrisson a peu d'expressions à sa disposition car sa gamme de mimiques du visage est insuffisante à traduire la variété de ses émotions. Elles ne peuvent se deviner que dans ses yeux.

Lorenzo était un bébé très mou qui n'avait aucune tenue musculaire, sauf quand son père le prenait. Quand celui-ci le soulevait sous les bras, avec des gestes peu précautionneux, le dressant en position verticale comme un vase qu'on élève, Lorenzo tenait sa tête. Il contractait tout son corps dans un geste d'autoprotection alors qu'il était si mou le reste du temps. Lorenzo, qui d'habitude ne croisait le regard de personne et qui était complètement amorphe fixait alors son père, les yeux dans les yeux, et se contractait entre les mains qui le tenaient. Au tout début de son accueil, avant qu'il parvienne à se détendre, les puéricultrices avaient remarqué qu'il restait craintif lors des soins et se raidissait ainsi au déshabillage, poings serrés, bras collés le long du corps, le visage ratatiné, les traits durs et chiffonnés.

Quant à sa mère, elle paraissait démunie, maladroite dans ses gestes, mal à l'aise. Son attitude mal adaptée avec son bébé à la maternité – quand celui-ci pleurait il avait fallu que la puéricultrice lui recommandât de le prendre contre elle – avait motivé la programmation d'une visite de la puéricultrice au domicile aux 15 jours de Lorenzo. Lors de cette rencontre la maman exprima beaucoup de plaintes : « Lorenzo pleure trop, il ne se calme pas. Il n'aime pas le bain, il pleure aussi. Je lui en donne le moins souvent possible, j'ai peur qu'il boive la tasse. »

Lorenzo se mit alors à pleurer. Comme cela durait, la puéricultrice se proposa d'essayer de le prendre et la maman s'étonna qu'il se soit apaisé si vite dans des bras inconnus. La puéricultrice, peu au fait du phénomène des connexions sélectives des bébés, fut surprise de ce constat et resta dubitative sur la réalité des difficultés alléguées par la mère. Elle était dans l'incapacité de concevoir qu'elle, une professionnelle, étrangère à la famille, puisse être plus rassurante pour ce bébé que sa propre mère... Si ce bébé se calme si bien dans mes bras, c'est qu'il se trouve en confiance, confiance dans les humains qu'il n'a pu acquérir qu'auprès de sa mère, donc cette mère exagère ses difficultés ou en tout cas le bébé n'en souffre pas et tout est rassurant... L'avenir allait démentir ce raisonnement certes bienveillant mais angélique.

Pleurer sans crainte

À la pouponnière, avec ses éducatrices, Lorenzo comprit peu à peu, en quelques semaines, qu'il pouvait pleurer sans crainte. Ce n'était au début qu'un petit pleur timide, mais un vrai pleur de bébé, très différent des hoquets retenus auxquels il nous avait habitués. La première fois, sa maternante fut tout étonnée de découvrir que c'était Lorenzo qui avait produit ce petit son d'appel discret, qui lui était adressé et qui s'avérait adapté aux circonstances. Elle était occupée à accueillir un couple, une famille d'accueil, qui venait faire la connaissance du bébé qui viendrait bientôt chez eux. Dépité d'attendre, Lorenzo avait alors osé se faire entendre. Elle en fut toute retournée.

Ce n'est que progressivement qu'il abandonna son stress et qu'il réussit à se détendre dans le giron des bras de ses éducatrices. Porter Lorenzo devenait plus facile, il donnait moins la sensation d'avoir à soutenir un corps inerte. Il ne souriait pas encore mais ne fuyait plus de façon systématique les yeux qui s'offraient à lui. Certains bébés mal en point fixent votre œil mais ne vous regarde pas. Lorenzo commençait à accepter un regard pénétrant.

Les mois suivants, son évolution positive se confirma. Lorenzo est devenu au fil du temps un bébé charmant, bien dans l'échange, avec des relations harmonieuses. Un beau petit garçon en plus.

Mais les soins corporels restèrent empreints d'une grande angoisse et il était là encore très vigilant et tendu. Il était très sensible à la parole et très à l'écoute. Vers ses 6 mois une petite infection pulmonaire obligea notre pédiatre à prescrire quelques séances de kinésithérapie respiratoire, technique efficace mais inconfortable. Les bébés pleurent beaucoup. Mais Lorenzo, allongé sur la table, restait raide et contracté en retenant ses larmes tandis que le kiné lui tapotait le dos. La puéricultrice qui était restée à ses côtés le voyait qui implorait son regard. Alors elle lui dit :

« Tu peux pleurer Lorenzo, je sais que c'est désagréable. »

Lorenzo la regarda, éploré, puis lâcha toute sa tension et s'autorisa enfin à pleurer à gros sanglots, à chaudes larmes, ce qui n'est pas si mauvais pour dégager les voies respiratoires.

Les adultes oublient, le bébé se souvient

Ses relations avec ses parents restèrent empreintes d'une forte anxiété qui se manifestait à la fois par un évitement de leur contact et par la recherche d'un appui auprès des professionnels.

Lorenzo a 3 mois. À la visite parentale, il est dans son landau et sa maman tente de lui décrocher un sourire. Pas de réponse, elle insiste. Manque de chance, Lorenzo la fuit et refuse de la regarder. Elle est excédée. En place de se calmer, de patienter, de chercher à l'apprivoiser, de le laisser venir, elle le prend et l'extirpe de cette coquille protectrice. Elle le porte dans les bras comme un trophée mais il n'y a aucune complicité entre eux.

Un mois et demi plus tard. La visite est cette fois accompagnée par une éducatrice que Lorenzo connaît peu. Ses parents attendent assis sur leurs chaises. L'éducatrice s'accroupit en portant Lorenzo pour qu'il soit bien à leur hauteur. La maman tend les bras pour le prendre mais Lorenzo se raidit. L'éducatrice garde Lorenzo dans ses bras et propose que chacun prenne son temps pour se retrouver. Lorenzo finit par sourire et jaser en regardant son papa et sa maman. L'éducatrice s'autorise alors à confier Lorenzo à sa mère mais il se rive sur son regard plutôt que d'être dans l'échange avec sa maman. Ennuyée, elle tente un stratagème pour que Lorenzo la quitte des yeux et s'accroche à ses parents.

« Adressez-vous à votre petit garçon pour maintenir la relation avec lui pendant que je passe derrière vous pour aller me chercher une chaise. »

Et plutôt que d'en prendre une toute proche, elle contourne les parents par l'arrière pensant ainsi se détacher du regard adhésif de Lorenzo.

Mais Lorenzo la suivit des yeux sur tout son détour en se tordant le cou au point que le papa en fit la remarque :

« Même en faisant ça, il vous regarde quand même. »

L'histoire de Lorenzo nous montre que les bébés gardent la mémoire des traumatismes qu'ils ont subis et de l'identité de leur agresseur. Ils repèrent aussi très vite avec qui ils peuvent se sentir en sécurité. Voici deux autres exemples qui concernent des très jeunes bébés.

Amélie est prise d'un violent vertige

Amélie fut gravement maltraitée par sa mère délirante au sortir de la maternité. Elle eut plusieurs membres fracturés, le crâne aussi. Elle s'en est sortie par miracle. Après trois semaines en réanimation elle est placée à l'âge de 1 mois à la pouponnière. C'était un bébé très tendu. Elle ne desserrait que rarement ses petits poings, refusait toute rencontre visuelle avec ses maternantes mais se montrait très vigilante à tout ce qui se passait autour d'elle. Elle était sur le qui-vive, toujours en alerte, ne faisant confiance à personne au point qu'elle ne fermait jamais tout à fait ses yeux pour dormir. Les éducatrices durent l'apprivoiser avec douceur. Après deux mois d'un maternage très attentionné, le moins invasif possible, tout en délicatesse, Amélie commença à se rassurer un petit peu. Elle acceptait désormais de croiser le regard des éducatrices, mais de façon furtive. Elle commença alors à s'essayer à quelques discrets sourires. Si elle gardait encore l'air grave et restait la plupart du temps distante, les progrès étaient visibles. Ils se confirmèrent au cours des mois suivants. La connexion affective avec les humains reprenait.

Sa mère obtint un droit de visite peu de temps après l'arrivée d'Amélie à la pouponnière et leurs relations, au lieu de suivre le cours de l'évolution positive de cette petite fille, ne firent au contraire que s'aggraver au cours du temps. Dans une première période, sa mère la prenait dans les bras mais ne lui parlait pas, ne s'adressait pas à elle. Amélie se montrait alors très contractée et ne pouvait regarder sa mère. À mesure que les visites se répétèrent sur le même mode, la petite se mit à pleurer dans les bras de sa mère, sans raison apparente. Ces cris augmentèrent de semaine en semaine et ne cessaient que lorsque sa mère la posait dans la poussette et qu'elle se contentait de lui parler à distance.

Un rendez-vous avec ma collègue pédopsychiatre prit une dimension particulièrement dramatique. Amélie pleurait avec des cris déchirants tandis que sa mère faisait le récit de ce qui était arrivé lors de ces maltraitances gravissimes. Soudain elle s'interrompit, regarda sa mère avec intensité puis tourna sa tête d'un seul coup. Ses yeux furent alors pris d'un nystagmus intense – des mouvements saccadés, involontaires et rapides des globes oculaires – qui était sans doute la conséquence d'un violent vertige. Ma collègue dut lui caresser la tête et lui parler pour la rassurer sur sa présence pour que cela se calme.

Jasmina : Un ! Deux ! Trois ! Danger !

Jasmina, arrivée à la pouponnière à 4 mois avait appris à se taire avant que sa mère ait fini de compter : Un ! Deux ! Trois ! Impossible de savoir si elle avait mémorisé la séquence verbale annonciatrice du pire, si elle avait repéré le ton agressif de sa mère ou encore visualisé les traits menaçants de son visage. Toujours est-il qu'elle rentrait ses pleurs quand commençait ce terrifiant décompte. C'est sa mère qui nous l'avait expliqué, très fière de ce grand exploit éducatif devant ce qu'elle appelait les caprices de Jasmina et que, d'après ses dires, la petite aurait commencé à manifester dès l'âge de 1 mois. Elle voulut lors d'une visite parentale nous en faire la démonstration devant les pleurs débutants mais encore discrets de sa fille : « Ne pleure pas Jasmina ! » encore conciliante mais déjà insistante. Puis : « Jasmina ! Ne pleure pas ! » d'un ton impératif avant de commencer son terrible décompte. Mais devant le regard éberlué de l'accompagnante, elle s'arrêta ce jour-là au chiffre deux.

Et combien de bébés avons-nous reçus, qui avaient servi de bouclier humain dans des scènes de violences de couple ou d'otages promis à être jetés par la fenêtre si l'« autre » menaçait de partir. Les bébés ainsi mêlés à la violence conjugale la plus directe présentent des syndromes post-traumatiques précoces, graves et durables, caractérisés par une insécurité majeure et une réactivité anxieuse impressionnante dans des situations de bruits un peu forts, de haussement de ton ou face à l'arrivée de visages inconnus.

Se taire pour survivre

Il peut être difficile d'admettre que des bébés de quelques semaines soient capables comme Lorenzo ou Jasmina de retenir leurs pleurs pour éviter pire encore. J'ai moi-même eu besoin d'une décennie de présence auprès de ces bébés pour que ce phénomène me devienne évident et familier comme à toute notre équipe de la pouponnière. L'accumulation d'observations répétées et concordantes nous a convaincus de cette réalité. Des bébés peuvent ressentir la faim, la soif, le froid d'une couche mouillée, l'inconfort d'une selle irritante, l'angoisse du soir, la détresse de ne pas être bercés dans le giron de bras secourables, la douleur d'une colique, la gène d'avoir trop chaud et tous les petits et gros désagréments de la vie d'un bébé qui ne peut rien faire seul, des bébés peuvent ressentir tout cela sans rien manifester. Ils sont capables de se taire pour limiter le risque d'être maltraités, ce qu'ils ont connu avant et plusieurs fois au point d'être capable d'intégrer la notion de danger et le moyen de l'éviter. Ce peut être par simple sidération anxieuse, comme une proie simulant l'inanition pour détourner l'attention d'un prédateur ou par pure imitation du réflexe basique des animaux qui, leurs défenses amoindries, souffrent en silence pour ne pas risquer de se faire repérer des prédateurs. Un bébé qui se tait est un bébé en danger. Un gros braillard qui se calme vite dans les bras est bien plus rassurant qu'un petit oisillon qui ne dit plus rien.

Expériences anciennes sur l'art de faire taire les bébés

Faire taire un nourrisson par la terreur fut une technique éprouvée décrite par un médecin célèbre de Leipzig, le docteur Daniel Gottlieb Moritz Schreber (1808-1861).

Le docteur Daniel Gottlieb Moritz Schreber écrivit plus d'une douzaine d'ouvrages de pédagogie dont une sorte de guide pour l'éducation des enfants publié en 1858[15]. Il y détaillait une théorie éducative d'une rigueur absolue qu'il appliqua à ses propres enfants. Cette méthode très coercitive, totalitaire même, eut une grande audience en Allemagne pendant plus d'un siècle et put participer à l'éclosion des idées nazies. Son principe était de briser toute velléité d'une quelconque autonomie personnelle chez l'enfant, dès son plus jeune âge, et d'obtenir une obéissance absolue et définitive.

Dans cette littérature effrayante on peut lire ces conseils pour la première année de l'enfant : « Si l'on est assuré qu'il n'y a ni besoin réel ni rien qui les inquiète ou leur fasse mal et qu'ils ne sont pas malades, on peut être convaincu que les cris trahissent simplement l'expression d'une humeur, d'un caprice, leur première manifestation volontaire… Il faut alors intervenir d'une manière décidée : distraire rapidement l'attention de l'enfant, lui parler sévèrement, le menacer du geste, frapper contre son lit… ou, si tout cela ne sert à rien, employer des corrections modérées, intermittentes, répétées avec logique, jusqu'à ce que l'enfant s'apaise ou s'endorme.

Semblable procédé n'est nécessaire qu'une fois ou deux, et l'on est maître de l'enfant pour toujours[16]. »

Et ce n'étaient pas là des principes seulement énoncés. Ils étaient appliqués avec la plus extrême sévérité comme en témoigne l'anecdote rapportée par ce médecin dangereux : « Je citerai à cet effet un incident survenu dans ma propre famille. La nurse d'un de mes enfants, personne très docile par ailleurs, avait donné à celui-ci – malgré mon interdiction formelle – quelque chose à manger entre les repas : une tranche de la poire qu'elle mangeait elle-même. Pour cette seule raison, je la renvoyai séance tenante, puisque je ne pouvais plus attendre d'elle une loyauté inconditionnelle. »

---

15. SCHREBER (Daniel Gottlieb Moritz), *Kallipädie oder Erziehung zur Schönheit durch naturgetreue und gleichmässige Förderung normaler Körper bildung*, Leipzig, Fleischer, 1858.

16. Cité *in* SCHATZMAN (Morton), *L'Esprit assassiné* (1972), Paris, Stock, 1974.

Postface

La nouvelle se répandit dans Leipzig et « nous n'eûmes plus jamais de semblables ennuis avec notre personnel. »

Comment régner par la terreur sur un nourrisson, en une ou deux séances coercitives et ciblées. Et le séparer brutalement de sa figure d'attachement affectif que devait représenter cette nurse qui avait une sollicitude normale et humaine pour cet enfant : elle partageait avec lui ses émotions gustatives et donc sans doute toutes les autres.

La terreur rend fou, Freud et Lacan n'y ont vu que du feu

Est-il utile d'ajouter que ses deux fils devinrent fous. Daniel Paul Schreber, président de chambre à la cour d'appel de Dresde, fut hospitalisé plusieurs années et son frère Daniel Gustav se suicida. L'histoire des persécutions vécues dans son enfance par Daniel Paul Schreber, célèbre auteur des *Mémoires d'un névropathe*[17], est restée méconnue jusqu'à la publication de *L'Esprit assassiné*, ouvrage du psychiatre américain Morton Schatzman qui s'est appuyé sur les recherches historiques et documentaires récentes[18] dévoilant et détaillant le fanatisme éducatif du docteur Schreber, le père du magistrat. Morton Schatzman a établi un lien direct, presque littéral, entre les mauvais traitements infligés à Daniel Paul Schreber lorsqu'il était enfant, le déclenchement de sa maladie mentale et la teneur de son délire. Il éclaire d'un regard nouveau cet ouvrage, une œuvre incontournable, où Schreber fils relate sa maladie

---

17. SCHREBER (Daniel Paul), *Mémoires d'un névropathe*, Paris, Éditions du Seuil, coll. « Points Essais, 1995.
18. Notamment sur celles de William G. Niederland, diffusées à partir de 1959.

et dont la lecture fournit à Bleuler, à Freud[19], à Lacan[20], et à tant d'autres, un modèle incomparable d'étude de la paranoïa et de la schizophrénie. Des générations de psychiatres et de psychologues l'ont lu sans connaître les détails de l'enfance de son auteur.

Sigmund Freud ne fit aucun lien entre les idées pédagogiques extrêmes de Schreber père et la maladie mentale de son fils. En avait-il eu connaissance ? En tout état de cause Freud tenait l'œuvre de Schreber père en grande estime puisqu'il écrivit à son sujet dans l'introduction à son texte « Le président Schreber : un cas de paranoïa » paru dans *Cinq psychanalyses* en 1907 : « Il n'était pas une personnalité sans importance [...]. Ses activités en vue de promouvoir une éducation harmonieuse des jeunes, d'assurer la coordination entre la maison et l'école, d'y introduire la culture physique et le travail manuel afin d'élever le niveau de la santé, tout cela exerça une influence sur ses contemporains. » Effectivement les sociétés d'activité de plein air, créées à l'initiative du docteur Schreber, perdurèrent en Allemagne pendant plus d'un siècle et eurent plusieurs millions d'adhérents.

Lacan dans son séminaire de 1955-1956 sur les psychoses, où il s'appuie sur le texte de Daniel Paul Schreber et sur le commentaire qu'en a fait Freud, avait eu l'intuition du risque d'éclosion d'une psychose chez des enfants confrontés à la personnalité écrasante d'un père. Mais il n'alla pas jusqu'au bout de la démonstration qui restait à faire entre la maltraitance précoce chez l'enfant et son effet psychotisant, et ce, de façon d'autant plus certaine que l'enfant est plus jeune. Lacan explique néanmoins[21] : « Nous avons tous connu de ces fils délinquants ou psychotiques qui prolifèrent dans l'ombre d'une

---

19. Freud (Sigmund) *Cinq psychanalyses*, Paris, Presses universitaires de France (PUF), 1993.
20. Lacan (Jacques), *Le Séminaire, livre III, Les Psychoses,(1955-1956)*, texte établi par Jacques-Alain Miller, Paris, Éditions du Seuil, 1981.
21. Lacan (Jacques), *Le Séminaire, livre III, Les Psychoses,(1955-1956)*, *op. cit., loc. cit.*, p. 230.

Postface

personnalité paternelle [...] dans le registre d'une ambition ou d'un autoritarisme effrénés [...]. Il n'est pas forcé qu'il y ait du génie, du mérite, du médiocre ou du mauvais, il suffit qu'il y ait de l'unilatéral[22] et du monstrueux. Ce n'est certainement pas par hasard si une subversion psychopathologique de la personnalité se produit spécialement dans une telle situation. »

Une clinicienne de génie, formée par l'observation des bébés séparés

La même année, Jenny Aubry, plus lucide, écrivait pourtant[23] : « La qualité des soins maternels reçus par l'enfant avant la

---

22. Il faut comprendre ce terme d'unilatéral en référence à la clinique de la psychose que Lacan a construite en contrepoint de celle des névroses. Dans la névrose « l'émetteur reçoit du récepteur son propre message sous forme inversée ». Il y a donc de la dialectique et de l'échange, du miroir et du bilatéral. Pour le psychotique, son délire, qui n'est pas un message adressé, ne demande pas un échange dialectique, une validation, un assentiment ou un retour de l'autre. Son délire est certain, c'est la vérité, une, entière. Avec ce terme d'unilatéral Lacan n'indique pas que les figures paternelles qu'il évoque seraient psychotiques – ils ne sont pas délirants et leur message peut être adressé – mais que leur discours serait justement à sens unique – unilatéral – et en ce sens monstrueux car n'ayant aucune considération pour une quelconque altérité de l'enfant, le réduisant à un être vivant sans identité reconnue. « Le sujet adopte alors cette position intimidée que nous observons chez le poisson ou le lézard » ajoute-t-il.

23. AUBRY (Jenny), *La Carence de soins maternels : les effets de la séparation et la privation de soins maternels sur le développement des jeunes enfants*, Paris, Presses universitaires de France (PUF),1955, *loc. cit.*, p. 124. Ce livre est aujourd'hui devenu une rareté introuvable, et pourtant, hasard incroyable, j'ai découvert, égaré chez un bouquiniste, l'exemplaire que le docteur Jenny Aubry avait dédicacé personnellement au professeur Michel Soulé, précurseur de la pédopsychiatrie et qui avait commencé sa carrière auprès des enfants séparés de l'Assistance Publique dès 1955. Je conserve ce livre comme un précieux héritage.

séparation est le facteur essentiel de la structuration naissante de la personnalité. Plusieurs enfants hospitalisés à Parent-de-Rosan ont passé les premiers mois de leur vie avec des mères atteintes de graves troubles mentaux avant de subir de multiples changements et une grave carence de soins maternels. Leur structure psychique n'est ni atrophiée comme dans les cas d'absence de soins maternels, ni arrêtée dans son développement comme dans les cas de séparation tardive, mais bien désintégrée et chaotique. Certains diront que ces enfants nés de mères démentes sont tels du fait de leur hérédité ; mais sans nier la fragilité psychique de ces enfants, ce que nous avons constaté en étudiant leur évolution et leurs réactions au cours du traitement nous incite à penser que les comportements anormaux de la mère envers son enfant jouent un rôle prépondérant dans la formation de la psychose... »

Et sur la mémoire du nourrisson concernant une éventuelle maltraitance, elle ajoute :

«... Au cours du traitement, tandis que Monique se développe physiquement, les rites à caractère obsessionnels qui la protègent contre cette angoisse se multiplient et s'organisent. Il faut qu'au cours de séances dramatiques elle rejoue les scènes des premières semaines de sa vie alors que sa mère l'étouffait en la nourrissant et qu'elle détruise en l'écrasant une poupée symbolique d'elle-même pour que progressivement elle puisse sortir de cet état et reconstruise un "moi" normal. »

Conclusion
Plaidoyer pour la reconnaissance de la douleur psychique du bébé

Faisons un parallèle avec l'histoire récente de la prise de conscience des effets de la douleur physique[24] chez le bébé. La reconnaissance puis la prise en compte de la douleur physique chez le nouveau-né et le petit enfant est chose récente. Il y a vingt-cinq ans les bébés étaient opérés sans anesthésie. En effet jusqu'aux travaux d'Anand, anesthésiste et réanimateur pédiatrique d'origine indienne, à la fin des années 1980, la communauté médicale considérait le nouveau-né comme insensible à la douleur ou du moins incapable de l'intégrer et de s'en souvenir. Jusqu'à cette date, pour les médecins, la douleur ne laissait pas de trace chez l'enfant. Les soins médicaux douloureux, les interventions chirurgicales se faisaient alors sans analgésique, uniquement sous curare pour éviter tout

---

24. J'ai choisi d'utiliser ce terme de « douleur physique » pour la clarté de l'exposé, mais ce mot fait débat. La notion de nociception, ou perception des influx douloureux, décrit les effets métaboliques et neurocomportementaux d'une stimulation nocive, indépendamment de toute considération d'une conscience supérieure, d'une mémoire, des effets émotionnels possibles ou d'une souffrance psychique induite. En fait, les études sur la douleur du nouveau-né étudient et mesurent, directement ou indirectement, la nociception sans se préoccuper de son intégration corticale.

risque de défense musculaire et de mouvement lors de l'acte chirurgical. La non-fermeture du canal artériel à la naissance, anomalie vasculaire fréquente de l'aorte chez les bébés, nécessite sa ligature et, pour ce faire, d'ouvrir le thorax entre deux côtes et aller poser un clip au contact du cœur. Avant les travaux d'Anand, cette opération était réalisée sans anesthésie. C'était il y a à peine plus de vingt ans. Cela nous paraîtrait aujourd'hui horrible et barbare.

Anand a pu démontrer que le bébé était non seulement sensible à la douleur mais qu'il n'avait aucun moyen neurologique ou cognitif pour filtrer et contrôler les influx douloureux. Plus le bébé est jeune et plus il est sensible à la douleur. C'est encore plus marqué s'il est prématuré. Les douleurs qui se répètent le rendent hyperalgique, c'est-à-dire qu'une douleur de même intensité va provoquer une sensation de plus en plus forte et plus durable à chaque nouvelle réapparition. Plus le bébé a eu mal et plus il sera réactif à la douleur.

Anand a aussi introduit, ce qui est maintenant devenu une évidence, que si le bébé est incapable d'exprimer qu'il a mal, c'est à l'observateur d'aller rechercher de façon active les signes de la manifestation de cette douleur. Il existe aujourd'hui des échelles d'évaluation de la douleur chez le nourrisson, utilisée dans les services de pédiatrie, qui se basent sur l'observation précise de la mimique du visage, des manifestations de cris ou de pleurs et du comportement global de l'enfant. Tout en sachant que les douleurs les plus intenses peuvent provoquer un coma vigil, c'est-à-dire un bébé totalement mou et sans réaction mais qui garde les yeux ouverts. Cela peut donner l'illusion qu'il ne ressent rien.

Les animaux domestiques n'ont, eux aussi, aucun moyen d'exprimer leur douleur quand ils ont un mal de chien. La plupart du temps ils trémulent alors en silence, terrés dans un coin. Mais depuis les travaux d'Anand, ils ont aussi bénéficié de la diffusion de ces méthodes d'observation de la douleur et des traitements qui en découlent. Les vétérinaires constatent, depuis qu'ils traitent la douleur animale, que les suites des interventions chirurgicales en sont très notablement améliorées, en dehors de toute considération philosophique ou éthique. Le même constat est fait chez les bébés humains pour lesquels la sédation de la douleur prévient bon nombre des complications postopératoires qui apparaissaient avant l'usage de traitements antalgiques.

Grâce à la publication de ces articles scientifiques, il est désormais reconnu et admis que laisser souffrir un bébé est nocif et dangereux pour sa santé immédiate mais aussi future. C'est aussi un geste d'humanité.

Une révolution intellectuelle identique est aujourd'hui nécessaire pour que soient reconnus la douleur psychique, la souffrance psychologique des bébés soumis à des conditions affectives délétères, et les effets dévastateurs qui en découlent concernant leur développement psychoaffectif. Si les obser-vateurs ne sont pas convaincus de la réalité de la douleur psychique chez les bébés, provoquée par des traumatismes, l'insécurité affective, l'anarchie et le chaos dans les réponses à ses besoins affectifs et vitaux, la discontinuité du portage psychique ou une détresse vitale, il n'en reconnaîtront pas les manifestations et interpréteront de façon erronée les comportements du bébé et de ses parents.

Le pire étant ces bébés collants, adhésifs, qui ont des demandes affectives un peu fortes vis-à-vis des professionnels, ce qui rassure ces derniers alors que c'est un signe de gravité, celui du noyé qui s'accroche frénétiquement à sa bouée de secours. À l'autre extrême ce sont les bébés devenus amorphes et qui ne se plaignent même plus. Ceux-là ne gênent personne. Des bébés sages comme des images.

Ne pas prendre en considération cette réalité expose le nourrisson aux mêmes complications qu'avec la douleur physique. Plus l'enfant est jeune et plus il y est sensible, car c'est sa sécurité vitale qui est mise en danger. Ce sont donc des urgences psychologiques ou pédopsychiatriques absolues. Quand les douleurs psychiques se répètent, le bébé devient hyperesthésique avant de sombrer dans des souffrances psychologiques délabrantes. Cet état entraîne des retards gravissimes du développement, une désintégration de la personnalité et aboutit à un anéantissement des compétences d'attachement de l'enfant.

À l'identique de la douleur physique, il est indispensable que les professionnels de l'enfance apprennent à en reconnaître les manifestations, ce qui suppose qu'ils soient formés à en rechercher les expressions, délicates et subtiles chez un bébé. Plus les troubles sont graves et moins ils seront visibles car l'enfant trop abîmé ne lutte plus, comme l'enfant douloureux en coma vigil, et ne se manifestent plus. Rappelez-vous Mélanie, Lorenzo, Éric et les autres.

L'idée si répandue d'une certaine fatalité dans la répétition des malheurs de génération en génération chez certaines familles à problèmes n'est qu'une lâcheté de la pensée et une faillite de la solidarité dans notre société. De nombreux bébés et de très jeunes enfants soumis à des conditions de vie indignes et confrontés à des conditions affectives destructrices pourraient être sauvés d'un avenir sombre marqué par des troubles de la personnalité, du développement et de l'adaptation, si notre société mettait les moyens humains nécessaires pour les dépister et les prendre en charge avant qu'apparaissent ces dégâts irréversibles. Depuis vingt-cinq ans des progrès immenses ont été obtenus pour que soit considérée et prise en charge la douleur physique des nourrissons, le contraire nous choquerait aujourd'hui. La même révolution reste à faire pour mettre en œuvre des outils efficaces afin de dépister et de prendre en charge les bébés en danger psychique avant qu'ils soient détruits.

C'est un vrai problème de santé publique mais aussi une simple question de solidarité humaine envers nos petits semblables.

Un nouveau challenge pour les services sociaux et les services de soins mais aussi une nouvelle frontière pour notre société.

REMERCIEMENTS

Ce livre n'aurait pas existé sans les nombreuses collaborations intellectuelles et amicales avec mes collègues angevins depuis deux décennies. Sa rédaction a été l'occasion de renouveler des échanges riches et soutenus avec nombre d'entre eux et avec des spécialistes d'autres disciplines qui ont accepté de m'apporter critiques et lumières. Ce fut l'occasion de discussions éclairées par la passion partagée pour l'observation clinique des bébés, nos professeurs en humanité, car nos maîtres en émotions.

Je ne peux les citer tous mais je tiens particulièrement à remercier :

Mireille R.

Lucie B.

Vladia C.

Danièle C.

Anita C.

Élisabeth R.

Marie-Noëlle L.

Astrid C.

Aurore S.

Christine L.

et toute l'équipe de la pouponnière Saint-Exupéry à Angers

Sans oublier :

Katia N., psychologue au CHU d'Angers
Gérard Lahouati, grand spécialiste de Casanova
et le docteur vétérinaire Mandoline Chesnel pour ses conseils sur la douleur animale.

Mes remerciements vont aussi au Professeur Véronique Dasen de l'Université de Fribourg et au Professeur Jean-Bernard Garré de la Faculté de Médecine d'Angers pour leurs aides précieuses concernant certaines références historiques (chapitre 7).

TABLE DES MATIÈRES

187

Table des matières

Composition :
L'atelier des glyphes

Impression & brochage SEPEC - France
Numéro d'impression : 10173130703 - Dépôt légal : août 2013

 IMPRIM'VERT®

PEFC™ 10-31-1470 / **Certifié PEFC** / Ce produit est issu de forêts gérées durablement et de sources contrôlées. / pefc-france.o